Otages

Claude Poirier

Otages

QUEBECOR MEDIA

Catalogage avant publication de Bibliothèque et Archives Canada

Poirier, Claude, 1938-

Otages

2e éd.

ISBN 2-7604-0995-3

1. Enlèvement — Québec (Province) – Cas, Études de. 2. Criminels – Québec (Province) – Cas, Études de. 3. Négociations pour la libération d'otages – Québec (Province) – Cas, Études de. 4. Mutineries dans les prisons – Québec (Province) – Cas, Études de. 5. Poirier, Claude, 1938-   . I. Titre.

HV6604.C3P64 2005   364.15'4'09714   C2004-941975-7

Infographie et mise en pages : Édiscript
Maquette de la couverture : Christian Campana
Photographies intérieures : Photo Police
Photographies de la couverture : Jacques Bourdon et Yves Fabe (Journal de Montréal), Photo Police
Photographie de l'auteur : © Les Magazines TVA inc./Guy Beaupré

Les Éditions internationales Alain Stanké remercie le ministère du Patrimoine canadien, le Conseil des arts du Canada, la Société de développement des entreprises culturelles du Québec (SODEC) et le Programme de crédit d'impôt du Gouvernement du Québec du soutien accordé à leur programme de publication.

Les Éditions internationales Alain Stanké   Stanké international, Paris
7, chemin Bates   Tél. : 01.40.26.33.60
Outremont (Québec) H2V 4V7   Téléc. : 01.40.26.33.60
Tél. : (514) 396-5151
Téléc. : (514) 396-0440
editions@stanke.com
Dépôt légal : 1er trimestre 2005

ISBN : 2-7604-0995-3

Diffusion au Canada : Québec-Livres
Diffusion hors Canada : Interforum

Ils discutèrent de certains romans policiers qu'ils avaient lus tous deux, des romans en général, et de la vie qui est en elle-même le plus grand de tous les romans.

William Irish

Note de l'éditeur

Rien ne prédisposait Claude Poirier à une vie exceptionnelle que viendraient couronner une Médaille de la bravoure du gouvernement du Canada et cinq citations d'honneur du gouvernement du Québec. Tout jeune résidant du Plateau-Mont-Royal, avant que ce quartier ne devienne le haut lieu d'une certaine intelligentsia, qui sait si ce grand adolescent maigrichon avait même rêvé d'une carrière qui lui vaudrait la notoriété. Une telle notoriété qu'une maison de production allait décider de réaliser une série télévisée de huit épisodes librement inspirée de ce qu'il refuse de considérer comme ses « exploits ». Quel destin, d'ailleurs, aurait été le sien sans un événement dont il sera témoin à 21 ans, l'âge des premières audaces : un vol à main armée, le 11 août 1960, à la Caisse populaire du Sault-au-Récollet, au coin du boulevard Henri-Bourassa Est et de l'avenue Papineau. Plutôt que de poursuivre sa route après le crime comme tous les badauds présents sur les lieux, Claude Poirier prend l'initiative d'appeler la station radiophonique CJMS – dans le cadre d'un concours, la station prime la meilleure nouvelle de la semaine – et, fait exceptionnel, on lui demande de rapporter en direct à l'antenne ce à quoi il a assisté. Le reporter Claude Poirier fait ses premières armes.

Rien d'exceptionnel dans cet épisode de la vie de Claude Poirier, sinon que le jeune homme, sans trop vraiment le savoir, venait de choisir son destin. Son nom devient alors très rapidement connu des auditeurs qui porteront attention à ses interventions en ondes en raison de son ton sérieux et de sa manière toute personnelle de présenter un « fait divers ». Rien d'anodin dans ses propos. Sa voix est vite associée aux événements les plus tragiques que connaît le Québec. Quatre ans après sa première expérience sur les ondes de CJMS, Claude Poirier fait son entrée à la station de télévision Télé-Métropole et, désormais, le public pourra mettre un visage sur cette voix devenue si familière au fil des années. Tout est alors en place pour que se joue un drame dont il sera le héros et qui changera à jamais sa vie de tous les jours. Le 11 – encore ce chiffre – juin 1973, Normand Champagne, un dangereux psychopathe, tient en otage plusieurs personnes à l'institut Louis-Philippe-Pinel ; Claude Poirier intervient auprès du criminel et obtient de lui qu'il se substitue aux otages, leur sauvant ainsi la vie.

« Après le drame de l'institut Louis-Philippe-Pinel, écrit Claude Poirier en 1978, plus rien ne devait être comme avant. Toutes mes certitudes s'étaient écroulées. Les institutions, les idées, tout ce qui constitue l'armature de notre vie de tous les jours, n'avaient plus cette importance que je leur avais accordée jadis ; elles ne pouvaient plus justifier certains de mes comportements, le dédain secret, par exemple, que je portais aux citoyens les moins dignes de considération. Leurs crimes m'étaient toujours odieux, mais j'éprouvais désormais à leur égard une sorte de compassion. »

Une nouvelle carrière parallèle se dessine alors pour Claude Poirier : celle de négociateur. Plusieurs hommes recherchés pour meurtre font appel à lui, afin de se livrer en toute sécurité à la police. Ce scénario se répète lorsque survient la vague d'enlèvements d'employés de banque. Claude Poirier intervient dans 43 prises d'otages et enlèvements. Il aide 175 criminels à se livrer à la police, sans jamais compter son temps ou recevoir la moindre gratification, à l'exception de la reconnaissance des gouvernements provincial et fédéral. Les incidents qui lui ont valu citations d'honneur et médaille de bravoure et qui représentent les grands moments de sa vie de négociateur ont fait l'objet d'un livre intitulé *Otages*, ouvrage que nous avons cru bon de rééditer puisqu'il nous fait vivre ces événements comme si nous en étions les témoins privilégiés.

Partie I

Eh! les chiens, *laissez-moi partir. Je suis victime d'un système pourri. Ce n'est pas ma faute si j'ai la tête fêlée. Vous ne comprenez pas ça, bande de morpions électriques ? Vous ne savez pas ce que c'est que de vivre sur le* chalutier, *de ramer comme un fou dans une chaloupe prise dans le ciment ?*

Normand Champagne
dit Lawrence d'Arabie

Chapitre 1

Gaston Robitaille, le chef de la sécurité à l'institut Louis-Philippe-Pinel, m'attendait à la grille en compagnie de deux gardiens, armés de revolver, visiblement prêts à tirer à la moindre alerte. L'ombre dans laquelle baignait le poste de guet dissimulait leurs traits mais, sous la lueur des projecteurs de la cour intérieure, leurs corps se découpaient en silhouette, trahissant chacun de leurs gestes, même les plus discrets. Je vis qu'ils avaient pointé leur arme dans ma direction, à l'affût d'un mouvement qu'ils pourraient interpréter comme une menace, mais, par une sorte de folle inconscience dont je ne saurais expliquer ni la nature ni surtout le pourquoi, je bravai l'ordre de me tenir à distance respectueuse. «Les imbéciles», pensai-je seulement en marchant résolument vers eux comme si je pouvais défier impunément la mort, fasciné par les reflets fugitifs de la lumière jouant sur le métal poli des revolvers. «Ils vont tirer», me dis-je encore sans prendre conscience véritablement du danger que je courais en cet instant précis, l'esprit ailleurs, absorbé par une tâche plus urgente. Plus effrayé par ce qui m'attendait à l'intérieur des murs de l'institut psychiatrique que par la vue des armes, je me permis même un éclat en apostrophant les gardes.

– Vous n'avez pas peur de vous blesser avec toute cette artillerie ? dis-je, furieux d'être encore tenu sous la menace des revolvers qu'aucun d'entre eux ne semblait prêt à rengainer, dans l'attente, sans doute, d'un ordre qui tardait à venir. Ce n'est pas un jeu pour amateurs ; un accident est si vite arrivé. À moins que vous ne soyez morts de peur ? ajoutai-je pour faire bonne mesure. Vous craignez peut-être que celui que vous avez déjà laissé filer ne revienne vous régler votre compte. D'après ce que l'on dit des traitements que vous faites subir aux détenus, j'imagine qu'il ne lui manque pas de motifs…

Devant une accusation tout aussi fausse qu'injuste, les gardiens s'approchèrent de la barrière ; le chef de la sécurité s'interposa pour forcer ses hommes au calme en posant machinalement la main sur les armes. Il voulut excuser leur nervosité, mais je l'interrompis avant qu'il ne puisse terminer.

– Par deux fois, je vous ai appelé cet après-midi pour savoir ce qui se passait chez vous ; à chaque fois vous m'avez répondu que tout allait pour le mieux.

– Je ne pouvais rien vous dire, M. Poirier ; j'avais reçu des ordres. Il faut me comprendre, plaida-t-il.

Mais j'étais sourd à toutes ses raisons.

– Je n'ai pas l'habitude qu'on se moque de moi, hurlai-je presque, incapable de me contenir plus longtemps. Je fais mon métier, et mon métier c'est de renseigner les gens, que ça vous plaise ou non !

Encore une fois, j'étais injuste, mais j'avais senti le besoin de m'abandonner à la colère pour rompre la tension qui ne m'avait plus quitté depuis le début de l'après-midi, à la suite d'un appel téléphonique d'une mystérieuse jeune femme…

Vers 13 heures, ce même jour du 11 juin 1973, une personne refusant de s'identifier avait laissé un message à la téléphoniste du poste radiophonique qui m'employait comme reporter. Ce message m'invitait à la rappeler à un certain numéro de téléphone, celui d'une cabine publique située dans le nord de la ville. On semblait attendre impatiemment cet appel puisque quelqu'un décrocha bien avant la fin de la première sonnerie.

– M. Poirier ? C'est vous, M. Poirier ? demanda anxieusement une femme, d'une voix si faible que j'avais eu peine à comprendre ce qu'elle venait de me dire.

– Oui ! c'est bien moi, mais qui êtes-vous donc ? Pourquoi m'avez-vous appelé ?

Je ne saisis rien de la réponse qu'elle fit à mes questions ; elle pleurait, en proie à un violent choc nerveux, balbutiant quelques vagues paroles entre deux sanglots. Comme elle semblait incapable de se contenir, je cherchai à lui faire reprendre ses esprits.

– Allons ! Pourquoi pleurez-vous ainsi ? Que vous est-il arrivé ? Prenez votre temps pour me répondre… respirez… Maintenant, dites-moi ce que je peux faire pour vous ?

Je pensais alors à une sordide affaire de viol, mais la jeune femme me détrompa aussitôt.

– Venez vite, réussit-elle à me dire ; il se passe des choses très graves à l'institut Pinel.

– Parlez plus lentement, dis-je un peu exaspéré par tant de mystères. Que se passe-t-il vraiment à l'institut ? De quels événements graves parlez-vous ? Je n'ai entendu parler de rien.

– Un fou… Un fou… Il détient trois personnes en otages… Il menace de les tuer… Ne perdez plus de temps ; peut-être sera-t-il trop tard quand vous arriverez…

– Qu'est-ce que vous racontez là ? Il y aurait une prise d'otages à l'institut Pinel ? Impossible ! Je quitte à peine le quartier général de la police de Montréal et personne ne m'a rien dit. Une histoire de cette importance n'aurait pas pu m'échapper.

J'étais certain maintenant de parler à une pauvre illuminée, quelqu'un souffrant d'un grave déséquilibre mental ou victime d'une dépression nerveuse. Comment, d'ailleurs, pouvais-je ajouter foi en son témoignage, alors que j'avais vu, moins de dix minutes plus tôt, les principaux dirigeants du Bureau des enquêtes criminelles. Tandis que je cherchais désespérément un moyen pour prendre congé de mon interlocutrice, elle se reprit ; elle avait maintenant retrouvé tout son calme… sous l'effet sans doute de mon scepticisme.

– Appelez à l'institut Pinel. Les autorités refusent de dire quoi que ce soit, mais posez-leur la question ; à vous, elles n'oseront pas cacher la vérité.

– Bon ! Je vais voir, dis-je ébranlé malgré moi par le ton de la jeune femme.

Je ne pouvais imaginer qu'une personne puisse mentir avec un tel art. Et puis, pensai-je, ce ne serait pas la première fois que la police est la dernière informée. Je demandai à mon informatrice de ne pas quitter la cabine.

– Je vous rappelle dans cinq minutes.

– Faites vite, dit-elle en me laissant.

Tout en composant le numéro de l'institut Louis-Philippe-Pinel, je fouillai rapidement dans un vieux calepin de notes où je conserve précieusement les noms des principaux responsables des services policiers et des services de sécurité. Sous la rubrique de l'hôpital psychiatrique où sont détenus certains criminels souffrant de graves désordres mentaux, je lus le nom de Gaston Robitaille. Ce nom ne me dit d'abord rien, puis une image se forma dans mon esprit, celle d'un homme rondouillard, la quarantaine avancée, partiellement chauve, un homme autoritaire, craint de son personnel. « Il ne voudra pas parler », me dis-je, sachant que mes titres de « noblesse » ne pouvait émouvoir un personnage de sa trempe. J'aurais beau brandir la menace de représailles sur les ondes de la radio, le droit du public à l'information, il m'enverrait paître s'il avait décidé de se taire, à moins que son humeur ne l'incite à lever partiellement le voile sur les événements qui pouvaient se dérouler à l'intérieur des murs de l'asile. J'avais bien l'intention, toutefois, de ne pas me satisfaire de vagues réponses. Encore ému au souvenir de la jeune femme en larmes, je me promis d'insister s'il le fallait, même au risque de me brouiller avec le chef de la sécurité de l'institut Louis-Philippe-Pinel.

Quand j'eus rejoint Gaston Robitaille, je lui rapportai l'essentiel des propos de mon informatrice, sans révéler toutefois qu'il s'agissait d'une femme.

– C'est une bien jolie histoire que tu me racontes, mon cher Claude, mais il n'y a rien de vrai dans tout cela, me dit-il après m'avoir écouté jusqu'à la fin, sans chercher à m'interrompre. Tout est tranquille ici, je peux te l'assurer.

– Écoutez, M. Robitaille, si vous préférez que je taise temporairement l'événement, je veux bien vous promettre d'attendre votre accord avant de diffuser la nouvelle, mais dites-moi la vérité. J'ai besoin de savoir...

Je pensais alors à la femme qui attendait mon appel dans la cabine téléphonique. Qui croire des deux ? Cet homme froid, qui n'avait pas paru hésiter avant de répondre à ma question, ou encore la jeune *passionaria* à la voix rauque, dont je ne connaissais pas même le nom et qui devait croire maintenant que je ne la rappellerais plus.

– Mon informateur n'a pas pu inventer cette affaire, affirmai-je. Pourquoi l'aurait-il fait, d'ailleurs ? Il savait que je pouvais vérifier ses dires en donnant un simple coup de téléphone.

– Je ne sais pas avec qui tu as parlé et j'imagine que tu ne voudras jamais m'en révéler davantage, mais je te jure qu'il ne se passe rien d'anormal ici. Que veux-tu que je te dise de plus ?

Devant l'apparente bonne foi du chef de la sécurité de l'institut Louis-Philippe-Pinel, je m'avouai vaincu. Je conservai toutefois un léger doute dont je fis part, d'ailleurs, à mon interlocutrice à mon second appel à la cabine publique où elle avait attendu patiemment mon coup de téléphone.

– Il ment, je peux vous l'affirmer, dit-elle, mais cela importe peu si vous venez à l'institut. Demandez à faire une brève visite des lieux et vous verrez ce qu'ils vous répondront.

J'acceptai de me rendre à l'asile en raccrochant avec la jeune femme, mais je savais déjà que je ne tiendrais pas cette promesse. Ma démarche serait inutile. Gaston Robitaille inventerait mille prétextes pour couper court à mon enquête à l'intérieur des murs, et que pourrais-je faire devant un refus poli ? Le chef de la sécurité serait dans son droit de me refuser l'accès aux lieux ; de quel droit d'ailleurs pouvais-je exiger de faire une telle visite ?

Le timbre de mon téléavertisseur, un appareil qui ne me quitte jamais, pas même au cinéma ou lors d'une soirée chez des amis, coupa court à mes regrets de ne pouvoir accéder au désir de la jeune femme. La téléphoniste, chargée de prendre les messages, me transmit dès la fin du timbre un nouvel appel concernant l'affaire. Cette fois, il s'agissait d'un homme.

– Connaissez-vous la nouvelle ? me demanda-t-il.

Je n'eus pas besoin qu'il m'en dise davantage pour deviner ce qu'il voulait me confier.

– Voulez-vous parler de la prise d'otages à l'institut Pinel ?

– Oui ! Oui ! Mais si vous appelez, ils vous diront qu'il s'agit d'une rumeur sans fondement.

– Vous êtes bien renseigné, fis-je remarquer. Travaillez-vous à l'institut ?

L'homme resta muet, sa méfiance soudain éveillée. À tout instant, maintenant, il pouvait couper la communication et je ne savais que faire pour regagner sa confiance.

Comment lui expliquer, après cette question maladroite, que son identité m'importait peu, que j'avais voulu simplement vérifier la valeur de ses dires ? Malgré mon désir de rassurer mon interlocuteur, je n'osai pourtant pas rompre le silence, de peur de l'effrayer davantage. Au risque de le voir raccrocher, je devais attendre qu'il consente à parler de nouveau pour exiger l'anonymat ou pour me dire qui il était.

Dans cette quête incessante de la primeur, l'expérience m'avait appris qu'il ne faut jamais bousculer un informateur. La patience ou quelques billets de banque valent souvent mieux que les méthodes policières pour apprendre les dessous d'une affaire. Et pour se voir confier les aveux d'un homme traqué ou terrorisé par la peur des représailles, il faut également ne pas craindre de se plier aux demandes les plus extra-vagantes.

Un jour, par exemple, je dus accepter de prendre place dans le confessionnal d'une église ; sans le respect de cette condition, je n'aurais pu recueillir les révélations stupéfiantes d'une victime du racket du prêt usuraire, pourchassée par un tueur à gages.

Le silence actuel de mon interlocuteur n'avait donc rien pour me surprendre. Je n'avais pas respecté les règles du jeu. Peut-être craignait-il, lui aussi, pour sa vie, ou encore pour son emploi. Rien ne pouvait l'assurer que je tairais son identité, à moins qu'il ne se fie à ma réputation. Il prit sans doute ce parti puisqu'il s'identifia avant de me révéler ce que je désirais apprendre.

– Tout a commencé vers 1 heure, cet après-midi, mais j'ignore comment. Le mutin est un gars dangereux. Un psychopathe, un vrai tueur. Si j'ai bien compris, il s'agit d'un certain Champagne, Normand Champagne. Ce nom vous dit-il quelque chose ?

– L'assassin de Léopold Dion ?

– Je ne sais pas ; peut-être ! De toute façon, il détient trois otages dans l'aile 1 B, au deuxième étage. Jusqu'à présent, personne n'a pu l'approcher.

– Qu'exige-t-il pour libérer ses victimes ?

– Je l'ignore ; je ne peux pas vous en dire plus. Si vous voulez en apprendre davantage, il vous faudra appeler à l'institut.

Je suivis le conseil de mon informateur, mais cette seconde démarche auprès des autorités de l'institut Louis-Philippe-Pinel fut tout aussi vaine que la précédente. Gaston Robitaille était introuvable ; le directeur de l'établissement s'était absenté ; le garde qui avait pris mon appel ne savait rien. Avant de raccrocher, toutefois, je laissai un message destiné au chef de la sécurité :

– Dites à M. Robitaille qu'il n'a plus à se taire sur ce qui se passe dans l'aile 1 B. Dites-lui également que Normand Champagne est trop connu pour passer inaperçu. Je vous donne mon numéro de téléphone ; s'il veut me joindre, qu'il laisse un message à la jeune fille qui lui répondra. Bien le bonjour chez vous !

Maintenant, je n'avais plus qu'un coup de téléphone à donner pour tout déclencher, pour ameuter la horde de journalistes qui s'abreuvent quotidiennement des faits les plus sordides. Je brosserais un tableau de la situation à mon chef des nouvelles et, sur son ordre, l'émission de radio en cours serait interrompue, quelle qu'en soit l'importance, pour permettre la diffusion d'un bulletin spécial. Les gens à la maison ou les automobilistes augmenteraient aussitôt le volume de leur poste pour ne rien perdre de ce que je dirais d'une voix pourtant jugée désagréable. Personne alors ne songerait à se moquer de mon débit rapide, de mes phrases mal construites, de mon ton nasillard. Ils seraient tous attentifs, sachant que, comme à la vue de ces oiseaux de mauvais augures, ma venue en ondes annonçait un drame.

« Vite, l'action », me dis-je, en composant le numéro de ma station radiophonique, mais, au dernier moment, à la pensée des otages aux mains de Normand Champagne, je raccrochai le récepteur. Non que ma conscience professionnelle soit plus exigeante que celle de mes confrères, mais je savais que je ne pourrais vivre avec le sentiment d'être responsable, même indirectement, de la mort d'une ou de plusieurs personnes. Et avec Normand Champagne, tout pouvait arriver. Je décidai donc d'attendre l'appel de Gaston Robitaille avant de passer à l'action, d'autant plus facilement d'ailleurs que je venais de me rappeler un rendez-vous important dans un restaurant situé à l'autre bout de la ville. Je n'avais plus que le temps de passer à la maison pour me changer si je ne voulais pas arriver en retard.

Quand j'entrai Chez Schneider, une heure plus tard, William O'Bront, le millionnaire de la viande, avait déjà pris place à une table, en compagnie de Michel Pozza et de Solly Levine, tous deux lancés dans une âpre discussion sur la valeur respective des équipes de la Ligue nationale de hockey qui venait de couronner les vainqueurs de la ronde éliminatoire. Ils voulurent connaître mon avis, mais William O'Bront avait bien d'autres soucis en tête. L'annonce de la création d'une commission d'enquête sur le crime organisé au Québec l'intéressait bien davantage que les mérites d'une équipe championne. Il interrompit la conversation pour faire part de ses inquiétudes, sans toutefois chercher à me soutirer des renseignements, sachant qu'il ne me viendrait pas à l'esprit de trahir la confiance des policiers ou des magistrats qui avaient pu me faire certaines révélations. Aurais-je agi autrement, d'ailleurs, que plus jamais je n'aurais pu prendre place à sa table ; un homme bavard trahit même ses «amis».

Nous parlions des pouvoirs de la nouvelle commission d'enquête quand le timbre de mon téléavertisseur fit sursauter tous les convives. Je baissai sans y prendre garde le volume de mon appareil et, tout en prêtant une oreille distraite au message qui allait suivre, je repris intérêt à la discussion. Michel Pozza, le premier, s'aperçut que quelque chose n'allait pas.

— Qu'est-ce qui t'arrive, Claude ? Tu es blanc comme un drap.

— Non ! Non ! tout va bien, mais vous allez m'excuser ; un coup de téléphone à donner.

Je marchai, courant presque, jusqu'au premier appareil, ne sachant encore que penser de la situation. Pourquoi le directeur de l'institut Louis-Philippe-Pinel me demandait-il de communiquer avec lui sans tarder ? Je ne m'expliquais pas non plus le silence de Gaston Robitaille. Pourquoi tardait-il à me rappeler ? Était-ce parce que sa vigilance avait été mise en brèche ? À l'heure présente, la nouvelle était peut-être connue ; des journalistes faisaient peut-être le guet à la barrière de l'institut dans l'espoir d'en savoir plus.

«Non ! me dis-je, la salle des nouvelles m'aurait transmis le renseignement. Il vaut mieux toutefois que je vérifie, mais ai-je seulement le temps d'appeler ma station ?» Le message ne paraissait guère m'en donner le loisir. Je décidai donc de communiquer d'abord avec le Dr Lionel Béliveau, comme il m'enjoignait de le faire plus tôt.

Un inconnu répondit à mon appel.

— Vous êtes le Dr Béliveau ? lui demandai-je.

— Oui ! et je vous remercie d'avoir fait si vite. La situation ici échappe à notre contrôle et votre présence paraît s'imposer. Vous serait-il possible de venir ?

Chapitre 2

Il était 19 heures 30 quand je franchis enfin la barrière de l'institut. Gaston Robitaille m'emboîta le pas sans répliquer à mon algarade, jugeant préférable de se taire dans les circonstances !

Je suivis l'allée conduisant au pavillon principal en scrutant attentivement la façade de l'aile l B. Rien ne laissait soupçonner qu'un drame se jouait au second étage. Les chambres étaient plongées dans l'obscurité, comme si tout le monde dormait à l'intérieur, mais en regardant mieux, je surpris un mouvement furtif à l'une des fenêtres du deuxième. Quelqu'un veillait aux allées et venues dans la cour. «Champagne a placé une sentinelle», pensai-je un bref instant, mais cela ne me semblait pas correspondre à ce que je savais du personnage.

– Les chambres ont-elles été verrouillées au deuxième ou les patients sont-ils libres d'aller où bon leur semble? m'informai-je auprès du chef de la sécurité.

– Champagne les aurait bouclés pour la nuit, mais je n'en suis pas certain.

– En venant ici, j'ai communiqué avec la Sûreté du Québec et avec les services de la police de Montréal; aux deux endroits, les officiers m'ont dit tout ignorer des événements qui se déroulaient ici. Pourquoi leur avez-vous caché la vérité? Ils ont des hommes spécialement entraînés pour ce genre de situations; ils auraient pu vous venir en aide.

– Champagne a exigé que la police soit tenue à l'écart. Si je passais outre à ses ordres, les otages devaient être exécutés sur-le-champ. Pouvais-je prendre ce risque? N'oubliez pas qu'il s'agit d'un psychopathe, qui plus est d'un tueur. Il n'y avait aucun risque à prendre.

– D'accord, mais à l'heure actuelle, vous n'êtes guère plus avancé.

– C'est vrai, mais les otages sont toujours vivants, et c'est ce qui importe à mes yeux.

Je partageais le même sentiment mais, bien que dépourvu d'expérience en ce domaine, j'avais peine à croire que l'attente pouvait permettre de sauver les victimes. Viendrait un moment où le mutin se lasserait de cette inactivité, du moins avais-je ce sentiment. Il serait peut-être trop tard alors pour tenter une ultime opération de sauvetage. L'usage de la force ne me paraissait certes pas le meilleur moyen pour mettre fin au cauchemar des otages, mais quelque chose devait être fait. Pourtant, j'avais la nette impression que les autorités de l'institut Louis-Philippe-Pinel craignaient toutes démarches pouvant rompre le fragile équilibre qui s'était établi, au cours des dernières heures, dans leurs rapports avec Normand Champagne.

– Il vous a fait demander, m'apprit le Dr Béliveau dès mon entrée dans le hall du pavillon administratif où il avait établi son quartier général.

Des médecins, des infirmières et des infirmiers firent cercle autour de nous, tandis que le directeur me les présentait à tour de rôle.

– M. Robitaille m'a fait part de vos nombreux appels, mais vous comprendrez, je pense, que dans la situation présente nous n'avions guère le choix. J'espère que vous ne nous en tiendrez pas rigueur.

Je coupai court à ses excuses pour connaître ce que l'on attendait de moi.

– Champagne réclame votre présence. Il veut vous parler. Nous avons hésité longuement avant de vous appeler à la rescousse, mais, à la fin, nous avons dû céder à sa demande. Rien ne vous oblige, toutefois, à accepter de vous rendre auprès de lui.

– Voyez-vous une autre solution? répliquai-je, le sourire aux lèvres comme si la perspective d'être mis en présence d'un psychopathe pouvait me réjouir.

– Non ! répondit le Dr Béliveau en fuyant mon regard. Pour être sincère avec vous, M. Poirier, je dois vous dire que nous n'avions pas envisagé la possibilité d'un refus de votre part.

Je regardai ces femmes et ces hommes, épuisés après une longue attente ; personne n'osait encore me regarder, sauf peut-être Gaston Robitaille, placé légèrement en retrait. Il avait écouté le Dr Béliveau, s'abstenant de faire tout commentaire sur la situation présente, attendant sans doute son heure. Comme chacun gardait le silence, il me fit signe de la tête. Je l'accompagnai jusqu'au fond de la pièce où un plan de l'établissement avait été affiché pour faciliter le travail de surveillance du bâtiment où Champagne s'était replié avec ses trois otages.

– Il est là, au deuxième, enfermé dans le poste de garde, dit-il en pointant du doigt un cercle tracé au carrefour de deux corridors. Il n'aurait pu mieux choisir. Comme tu peux le voir, il est impossible de s'approcher sans lui donner l'alerte. La partie supérieure du poste est entièrement vitrée. Il se tient généralement debout, jetant fréquemment un œil dans les allées, de peur d'être attaqué par surprise. Au moindre bruit, d'ailleurs, il empoigne un otage à la gorge en brandissant une arme…

– Quelle sorte d'arme ? Un revolver ?

– Non ! Un couteau de chasse peut-être, ou un couteau de cuisine, je ne sais pas trop. Je n'arrive pas à me faire une idée. La distance est trop grande. J'ai beau regarder, je suis incapable de reconnaître l'objet qu'il tient dans sa main. J'ai posé des questions au personnel de l'étage pour faire l'inventaire de ce dont il aurait pu s'emparer, mais ça ne colle pas.

– Où aurait-il trouvé un couteau de chasse ?

– Avec des individus de ce calibre, tout est possible.

Les proches collaborateurs du Dr Béliveau étaient venus prendre place à mes côtés, mais personne n'osait interrompre l'exposé du chef de la sécurité qui avait pris désormais la direction des opérations. Tous paraissaient heureux de la tournure des événements ; le directeur lui-même semblait moins nerveux, plus décontracté, en dépit de la gravité de la situation. Je ne pouvais oublier ce qui se déroulait à l'étage supérieur, mais après toutes ces heures d'attente fiévreuse, à la merci d'un incident qui pouvait déclencher la tuerie, ils respiraient mieux maintenant qu'un plan d'action se dessinait, qu'une tentative allait être faite pour sauver les otages.

Il ne fallait plus perdre de temps. Cette longue veille avait épuisé le personnel de l'institution et je n'osais imaginer l'effet qu'elle avait pu produire sur le comportement de Normand Champagne. Je pressai Gaston Robitaille de me révéler tout ce qu'il savait encore ; je voulais surtout savoir comment se comportaient les victimes.

— Je ne peux pas te dire grand'chose sur les otages, sinon qu'ils paraissent calmes. Quand nous nous montrons dans une allée, Champagne s'en prend toujours au même, son éducateur, Gilles Beaulieu, comme si les deux femmes paraissaient n'avoir aucune importance…

— Quoi ! Des femmes ! Il y a des femmes dans cette histoire et c'est maintenant que vous me le dites !

— Qu'est-ce que ça change pour toi ? demanda Gaston Robitaille, un soupçon d'irritation dans la voix. Elles ne font pas plus d'histoires que Beaulieu ; elles ne sont pas moins calmes.

— Je le sais bien…

Et c'était la vérité. Le chef de la sécurité s'était mépris sur le sens de ma sortie, mais j'étais bien incapable d'expliquer ce que j'avais ressenti en apprenant que la vie de deux femmes dépendait, en quelque sorte, de l'issue de mon intervention. La responsabilité me paraissait plus importante, comme si la présence des deux femmes allait ajouter à la difficulté.

— Ce n'est pas ce que je voulais dire, trouvai-je seulement a répliquer.

Mais déjà Gaston Robitaille s'était repris, regrettant sans doute d'avoir laissé transparaître son émotion. Jusqu'à maintenant, il avait conservé un calme olympien, comme si les événements ne le concernaient pas, comme s'il était indifférent au sort des otages, mais cette fragile contenance s'était envolée, sous l'effet de l'inquiétude ; un instant, je lus même de la détresse dans son regard.

– Ce sont de braves filles, dit-il seulement.

Pendant quelques minutes, ses yeux ne me quittèrent pas, puis, baissant la tête, il redevint cet être impassible, énergique, capable de faire face à toutes les situations.

– L'une est infirmière; elle s'appelle Denise. Denise Nadeau. Tu peux lui faire confiance; elle a l'habitude de ces grands malades. Elle a certainement très peur, parce qu'elle sait de quoi est capable un individu comme Champagne, mais si tu t'y prends de la bonne façon, elle sera très vite rassurée. Elle pourra même t'aider au besoin. Quant à l'autre, il s'agit d'Huguette Sarrazin. Elle travaille à l'accueil, chez nous. Je ne peux rien te dire à son sujet. Ou elle se tiendra tranquille en attendant que tout soit terminé, ou elle fera une crise de nerfs au moment où tu t'y attendras le moins. Je ne te parle pas de Gilles; il est le mieux préparé pour faire face à ce genre de situations. Je suis d'ailleurs heureux que Champagne s'en prenne à lui de préférence. Son calme peut même avoir un effet bénéfique à la longue.

– Que demande Champagne au juste?

– J'ai oublié de te dire qu'au début de l'affaire ils étaient deux; un détenu du nom d'André Gratton a pris part également à la prise d'otages. Champagne a d'abord exigé la libération de son complice.

– Je le savais déjà!

– L'individu n'était pas considéré comme dangereux; nous avons cédé à sa requête. Nous l'avons même conduit dans le centre-ville après lui avoir remis une certaine somme d'argent, toujours à la demande de Champagne qui restait en contact avec lui, grâce à des postes émetteurs-récepteurs pris à des gardes. Depuis lors, Champagne ne veut plus rien dire; il a seulement exige ta présence, comme s'il ignorait ce qu'il devait faire maintenant.

Les dernières paroles de Gaston Robitaille me laissaient songeur.

– Il n'a pas réclamé quelqu'un d'autre? demandai-je, quelqu'un qui n'aurait pas pu venir ou qui aurait tout simplement refusé? Si c'est cela, je préfère le savoir.

– Dans mes conversations avec Champagne, il n'a jamais été question d'un autre que toi. Il ne veut plus parler qu'à toi.

– Mais vous a-t-il dit pourquoi ?

– Non ! Je ne peux rien te dire à ce sujet. Ça change quelque chose pour toi de ne pas le savoir ?

Au dernier instant, j'hésitais. Incapable de découvrir un motif valable qui aurait pu conduire Champagne à me faire demander auprès de lui, j'imaginais le pire. Qui pouvait savoir ce qu'il avait en tête ! Peut-être allait-il me tuer pour tirer vengeance de tous les journalistes qui avaient écrit sur son compte ou, encore, me prendre en otage pour exiger une nouvelle faveur des autorités de l'institution. C'était pure folie que de m'en remettre au hasard, j'allais annoncer que je ne pouvais prendre un tel risque quand mon regard se porta à nouveau sur Gaston Robitaille. Il me faisait toujours face, dans l'attente de ma décision, et ce que je lus dans ses yeux me fit oublier ma décision.

– Bon ! je vais y aller, dis-je surpris moi-même par cette réponse. Je verrai bien sur place ce qu'il me veut.

Alors que j'allais quitter le hall, le Dr Béliveau me retint un instant.

– Malgré tout ce que Champagne pourra vous dire, n'oubliez jamais qu'il s'agit d'un psychopathe, d'un homme extrêmement dangereux qui ignore tout de sa capacité de violence. Pendant de longues minutes, il vous paraîtra sain d'esprit, capable de jugement, puis, sans le moindre avertissement, son mal l'emportera, et il perdra jusqu'à la conscience de ses actes. Ne le quittez donc jamais des yeux, sous aucun prétexte. Ne lui tournez pas le dos. Vous devrez vous placer de telle sorte que vous puissiez déceler l'imminence d'une crise. Une chose encore... importante ! À 19 heures, il reçoit habituellement un médicament puissant qui a pour effet d'enrayer ses excès de violence ; ce soir, il n'a évidemment rien voulu prendre...

Chapitre 3

J'étais maintenant seul dans le corridor. Un à un, les gardes, armés de matraque et de fusil à gaz, s'étaient repliés en silence dans une salle proche de l'escalier où Gaston Robitaille avait choisi d'attendre mon appel.

— À partir de maintenant, m'avait dit ce dernier, nous ne pourrons plus communiquer ensemble jusqu'à ce que tu obtiennes de Champagne la permission de parler avec moi. Fais bien attention, Claude...

C'était la première fois qu'il m'appelait par mon prénom. D'autres avant lui s'étaient hasardés à le faire, sans même me connaître vraiment, sans que cela surtout ne me rende plus proche d'eux ; avec Gaston Robitaille, j'avais senti qu'il avait agi délibérément, ne trouvant rien d'autres à dire pour me témoigner son amitié. J'avais souri, à la fois pour le rassurer sur mon compte, mais aussi pour chasser ma propre angoisse, puis je l'avais quitté pour gagner l'endroit où devait avoir lieu la prise de contact avec Normand Champagne.

Toutes les lumières dans le couloir étaient éteintes. Je marchai en direction d'une faible lueur provenant d'une allée secondaire, toute proche, au bout de laquelle se terrait le mutin, mais avant de quitter l'obscurité pour marcher en direction du poste de garde, j'utilisai le talkie-walkie qui m'avait été confié peu auparavant.

— Normand Champagne ? C'est Claude Poirier qui te parle. Je suis dans le corridor, à une centaine de pieds de toi. Est-ce que tu veux que je m'approche ?

long silence suivit ma question. Peut-être Champagne avait-il fermé son propre poste? «Ce n'est pourtant pas le moment», me dis-je, cherchant désespérément un moyen de faire connaître ma présence. J'allais rebrousser chemin pour trouver un appareil téléphonique quand je vis, de loin, le mutin porter à sa bouche un objet de couleur noire. Sa voix jaillit au même instant.

– Ça va, je t'ai vu. Tu peux avancer.

Je fis un pas en sa direction.

– Les mains en l'air, commanda-t-il, et enlève ton veston.

Je m'exécutai de bonne grâce, tout en regrettant toutefois de devoir abandonner mon transmetteur, un appareil particulièrement coûteux qui permet la diffusion d'un reportage sur les lieux mêmes où se déroule un événement. Je fis part à Normand Champagne de mon désir de garder l'appareil, sans trop espérer d'ailleurs une réponse positive; à ma grande surprise, il y consentit.

– C'est une bonne idée, me dit-il puis il m'invita à venir plus près du poste de garde. Je te dirai quand arrêter.

Il se méfiait. Était-ce à cause de ma demande?

– Là! Ne bouge plus; je t'envoie un gars qui va te fouiller. Tu n'as rien à craindre s'il n'y a personne aux alentours.

Je vis le détenu s'approcher en silence. Il me jeta un regard qui en disait long sur ses pensées avant de me fouiller hâtivement.

– Il attend ma réponse, dit l'émissaire en montrant du doigt le poste émetteur-récepteur.

Je tendis l'appareil pour lui permettre de parler à Champagne.

– Ça va! Il n'a rien sur lui.

– Je t'attends, Poirier...

Avant que je ne le quitte, le détenu me glissa à voix basse une ultime recommandation.

– Vous savez, je n'ai rien à faire là-dedans. M. Robitaille m'a demandé de servir d'intermédiaire et je regrette d'avoir accepté. Méfiez-vous de Champagne, il est très nerveux...

En pénétrant dans le poste de garde, j'embrassai d'un coup d'œil toute la scène : les otages, bâillonnés, pieds et mains liés ; les dossiers parsemant le sol comme si quelqu'un avait entrepris de fouiller hâtivement le local ; Normand Champagne, des ciseaux de forme biscornue dans une main, un couteau dans l'autre, nerveux, impatient, furieux d'avoir longtemps attendu mon arrivée.

– Ça t'a pris bien du temps ; depuis trois heures cet après-midi que je t'ai fait demander !

Je restai muet, en m'obligeant à ne pas détourner le regard. Le mutin devait pouvoir lire en moi comme dans un livre ouvert, m'avait expliqué le Dr Béliveau. Il m'avait encore dit : «Vous pourrez juger de la gravité de son état selon son degré de méfiance ; il vous mettra peut-être même à l'épreuve pour mieux vous étudier.» Dès mon premier contact avec Normand Champagne, je n'avais plus aucun doute ; l'homme était vraiment fou. Ce n'était pourtant pas aussi apparent que je m'y attendais. Avec ses longs cheveux noirs, sa barbe mal rasée, ses lunettes qui lui donnaient un air vaguement intellectuel, il aurait pu circuler dans la rue sans attirer l'attention, n'eût été cette lueur inquiétante dans ses yeux.

Je devais lui répondre immédiatement. Je devais surtout ne plus lui laisser l'initiative, si je voulais tirer les otages de ce mauvais pas, le tenir constamment occupé, l'obliger à parler.

– Écoute, bonhomme ! lui dis-je familièrement, affichant une assurance que j'étais loin de posséder. Je me préparais à manger un bon filet quand j'ai reçu ton appel ; il était 7 h 30. Tu ne vas pas m'engueuler parce qu'on n'a pas voulu m'appeler avant. Dis-moi plutôt pourquoi tu m'as fait venir.

– Je te crois, Claude, répondit Champagne dont le ton s'était adouci. Je sais que tu dis toujours la vérité et, surtout, que tu n'as pas peur de dire ce que tu penses. Je t'ai vu hier, à la télévision ; tu parlais avec le ministre de la Justice. En t'écoutant, je me suis dit : «C'est le gars qu'il me faut pour révéler au public ce qui se passe à l'institut Pinel. Lui, les gens le croiront. Ils n'oseront pas dire, comme dans mon cas, que ce qu'il raconte ne peut être vrai puisqu'il est fou. Ils n'oseront pas mettre sa parole en doute. Et c'est important pour moi, Claude, très important. Il faut qu'ils apprennent le sort qui est réservé ici aux détenus. C'est ma mission sur cette terre. Tu vas donc m'interroger et *je vais parler au monde.*

Une première étape venait d'être franchie ; je m'en rendis compte en regardant les otages dont les yeux semblaient me dire : « Poursuivez ! Vous êtes sur la bonne voie. » Je reconnus aussitôt l'infirmière. Malgré la fatigue, la peur, les liens qui blessaient la chair de ses jambes et de ses poignets, elle avait repris confiance, une confiance dont elle paraissait dépourvue à mon entrée dans le poste de garde. Elle souriait même à la question qu'elle devinait sur mes traits, comme pour me dire : « Maintenant, je sais que nous nous en tirerons tous… grâce à vous. » Je me détournai pour qu'elle ne puisse lire dans mes yeux l'incertitude qui m'habitait. Gilles Beaulieu, placé à ses côtés, me parut partager les mêmes sentiments, mais quand je voulus connaître les sentiments du troisième otage, Huguette Sarrazin, je remarquai qu'elle gardait la tête baissée, comme pour ne rien voir de ce qui se déroulait devant elle. Sa robe, remontée haut sur ses cuisses, devait terriblement l'inquiéter. Je cherchai à attirer son attention pour la rassurer, mais elle fit celle qui n'avait rien entendu. Normand Champagne m'avait observé pendant tout ce temps. Dans l'espoir d'endormir sa méfiance, je dis la première chose qui me passa par la tête :

— Tu ne trouves pas qu'elle a de belles jambes ?

J'avais vu juste ; cette réflexion, un peu déplacée, surtout dans de telles circonstances, correspondait à l'image qu'il s'était faite de ma vie de reporter à la mode. Nécessairement play-boy, comme le voulaient le cinéma et la télévision. Il sourit, l'air gourmand. Je profitai de ses heureuses dispositions pour faire quelques suggestions visant à améliorer le sort des deux jeunes femmes.

— Elles sont bien jolies toutes les deux, dis-je encore pour me conformer davantage à mon personnage et, mine de rien, j'ajoutai : bien trop jolies pour être attachées ainsi. Tu ne penses pas, Normand, qu'on devrait les laisser se reposer un peu ? Ça fait plus de sept heures qu'elles sont liées à leur chaise.

Malgré son silence, j'insistai.

– Tu devrais au moins enlever leur bâillon ; elles ne t'ont rien fait, après tout.

– Je veux bien, mais seulement aux filles.

– Pourquoi pas le gars aussi, pendant que tu y es ? Il ne me paraît pas bien méchant.

– Je t'ai dit : pas le gars, tu m'entends ? cria-t-il soudain en colère. C'est un vrai *chien* !

Puis il se dirigea vers Gilles Beaulieu, ses ciseaux bien en main. Un moment, je crus qu'il allait mettre ses menaces à exécution.

– J'ai envie de te faire subir le sort de Dion, lui dit Champagne. Tu connais Dion, n'est-ce pas ? Tu sais ce qui lui est arrivé ? J'ai envie de t'arracher les yeux comme je l'ai fait pour lui, de les mettre sur ta langue. Tu verras, c'est très bon, un peu salé, mais pas trop. Je le sais, moi, j'y ai goûté.

– Ne fais pas ça, murmurai-je d'une voix que je ne reconnus pas.

Il fallait que je fasse quelque chose, mais je ne savais quoi. La situation m'avait échappé ; le mutin était en pleine crise et je n'avais pas su le prévoir, en découvrir les premiers symptômes. Je pensai à me jeter sur lui, mais j'eus peur de sa réaction ; ce serait peut-être donner le signal du massacre. Étais-je seulement capable de le maîtriser avant qu'il ne s'en prenne à Beaulieu ? Un malade mental en pleine crise devait disposer de ressources qu'il m'était difficile d'évaluer.

Soudain, Champagne se prit la tête à deux mains. Son front était couvert de sueurs.

– Qu'est-ce que tu as, Normand ? demandai-je, inquiet de cette transformation.

– Mon Dieu que j'ai mal à la tête, répétait-il sans cesse.

Puis soudain, comme s'il n'avait pas entendu ma question, il se tut. Je vis bien à ses traits que la douleur l'avait quitté tout aussi mystérieusement d'ailleurs qu'elle était venue, mais je ne fus pas pour autant rassuré sur son état. Il semblait ne plus me reconnaître. Les yeux fous, il hurla même :

– J'ai une mission à m'acquitter et je ne permettrai à personne de se mettre en travers de ma route. Personne ne peut empêcher *Lawrence d'Arabie* d'accomplir son œuvre.

– Normand, il faut te calmer, dis-je, tandis que la peur s'insinuait en moi. Normand ! Normand ! Écoute-moi…

J'étais désemparé ; j'appelais un homme qui avait disparu, emporté par le tourbillon de la folie. Champagne se tenait devant moi, mais l'être à qui je tentais de faire entendre raison, un instant auparavant, s'était évanoui. Je le vis à ses paroles, à ses gestes, je le vis à ses yeux surtout. L'être qui me fixait maintenant souriait étrangement ; plus l'ombre d'un sentiment humain dans cette figure que déformaient une passion nouvelle, le goût du sang, le besoin de tuer…

– Je suis Lawrence d'Arabie, dit-il enfin, rompant le silence qui avait suivi sa transformation. Je suis le maître du désert et des dunes de sable. Adorez-moi ! Prosternez-vous à mes pieds !

Normand Champagne avait déjà tenu ce langage, et cette fois-là, le cadavre d'un homme affreusement mutilé gisait à ses pieds. Comment aurais-je pu l'oublier ? Il y avait si peu de temps que cela était arrivé. Le procès de pure forme qui avait suivi avait même été une cause célèbre, non pas tant à cause de la nature du crime, mais en raison surtout de la personnalité de la victime : Léopold Dion, condamné à la prison à perpétuité pour le meurtre de quatre garçonnets.

Champagne et Dion avaient fait connaissance à l'institut Archambault, un pénitencier situé à Sainte-Anne-des-Plaines, où ils occupaient des cellules voisines. Le *monstre*, tel était le surnom dont on avait affublé Dion à la suite de ses crimes, avait rapidement pris l'ascendant sur Champagne, profitant de son état mental pour lui faire croire qu'il était la réincarnation du célèbre agent secret britannique, Lawrence d'Arabie.

« C'est ton double qui veut entrer en communication avec toi, avait-il dit à son jeune voisin quand ce dernier lui avait demandé la raison d'horribles visions qui hantaient son sommeil. Ton double te prépare psychologiquement à des phénomènes extrasensoriels.

Dion ignorait alors que cette plaisanterie, faite au détriment d'un homme gravement malade, allait se retourner contre lui. Contrairement à son attente, Champagne avait cru en ses explications. Le *monstre* ne prétendait-il pas être le «maître des éléments naturels, un grand Initié, le détenteur des clés des sciences occultes ouvrant les portes de la Révélation»? Au cours d'une crise particulièrement grave, Champagne reçut d'ailleurs confirmation de sa nouvelle identité. Lawrence d'Arabie lui était apparu pour lui dire: «Tu n'es pas Normand Champagne, tu n'es plus Normand Champagne. Désormais j'habite en toi.» Puis il avait pointé du doigt la cellule de Léopold Dion avant d'ajouter: «Tu dois maintenant tuer le monstre du désert, car il te tuera bientôt. Détruis-le! Écrase son cerveau pour qu'il disparaisse à jamais.»

Cette première mission qui lui avait été confiée, Normand Champagne l'accomplit le 17 novembre 1972, après un long cérémonial où il avait revêtu, à l'exemple de son nouveau Maître, un grand voile blanc. Il s'était muni d'une barre de fer et d'un couteau de poche, emprunté, suprême ironie du sort, à sa future victime.

Dion qui était libre en tout temps d'aller et de venir dans le corridor ne vit pas Champagne qui avait profité de l'heure de la récréation des détenus pour se dissimuler dans un réduit. Le dément attendit que sa victime passe devant sa cachette pour bondir comme un fauve sur sa proie. Un premier coup, porté à la tête, fit vaciller Dion, mais il trouva la force d'agripper son agresseur à l'épaule, en hurlant sous l'afflux de la douleur. Un deuxième coup, puis un troisième mirent fin toutefois à sa résistance. Le visage en sang, Dion se laissa tomber, ses mains battant l'air comme pour se saisir de son assaillant. Avant qu'il ne s'allonge lentement sur le sol, Normand Champagne se jeta sur lui pour lui porter le coup de grâce. À l'aide de son couteau, il lui trancha la gorge avant de lui mutiler les organes génitaux. Mais cela ne sembla pas suffire à la fureur meurtrière de Lawrence d'Arabie qui hurlait à l'oreille de son «hôte»: «Le cerveau! Détruis le cerveau! Frappe encore!» Normand Champagne s'empara à nouveau de la barre de fer pour frapper sa victime à la figure. Des fragments d'os et de chair volèrent bientôt en tous sens, laissant la cervelle à nue. Le dément, au paroxysme de sa folie, s'en empara aussitôt pour la porter dans sa cellule où il la déposa dans un cendrier, transformé pour la circonstance en vase sacré, pour l'offrande au *Maître incontesté du désert.*

Une vingtaine de détenus et un gardien, terrorisés, trop horrifiés pour porter secours à Léopold Dion, avaient assisté au carnage.

Avant de réintégrer sa cellule, Champagne, les mains, le visage et les vêtements tachés de sang, leur avait crié:

«Lawrence d'Arabie a tué le monstre. Adorez-moi! Prosternez-vous à mes pieds!»

Certaines secondes de la vie semblent durer une éternité; c'est une période subjective qui s'étend sur une distance infinie. Je restais debout, fasciné. Normand Champagne restait lui-même immobile. Son couteau se trouvait à proximité de mes yeux; chaque détail était parfaitement clair.

Quand je réussis à sortir de ma torpeur, après je ne sais combien de temps, je me rendis compte que la douleur s'était à nouveau emparée de Normand Champagne, le libérant de l'emprise de son double. Comme un homme ivre, il titubait dans la pièce, cherchant à fuir la souffrance qui le tenaillait.

– J'ai mal, se plaignait-il, en se massant les tempes.

Pendant un moment, je fus incapable de bouger; pourtant, tout danger s'était évanoui avec la réapparition de la douleur, mais ma frayeur avait été si grande qu'il m'était encore impossible de réagir. Je n'eus pas même l'idée de fuir les lieux ou de maîtriser le mutin alors que l'occasion s'offrait pour la première fois depuis mon arrivée. Maintenant il était trop tard;

peu à peu, Normand Champagne reprenait ses esprits. Au bout d'un certain temps, il trouva même la force de dire :

— Tu ne peux pas savoir comme cela fait mal, Claude...

J'accueillis cette confidence avec soulagement ; il était revenu lui-même. Mais pour combien de temps ?

D'une minute à l'autre, il serait peut-être terrassé par un nouvel accès de démence, plus grave encore que le premier et, cette fois, la chance pouvait m'abandonner. Je pouvais mourir, mais, chose étrange, la peur m'avait quitté. Plus rien ne pouvait m'atteindre maintenant ; j'étais au-delà de la peur.

Une bienfaisante paix régnait dans le poste de garde. Nous étions là, ne sachant que faire, ignorant encore ce qu'il allait advenir de chacun d'entre nous. Normand Champagne errait sans but, vidé de toute énergie, comme pacifié. Je regardai l'infirmière ; elle me sourit à travers ses larmes. Ainsi elle avait donc pleuré et je n'en avais rien su. La peur nous avait isolés ; nous avions dû affronter seuls les affres de l'agonie, les uns pleurant silencieusement, les autres, incapables même de trouver le réconfort dans cet ultime refuge. La solitude de Normand Champagne n'avait pas été moins grande que la nôtre ; différente, mais pas moins réelle. Animé du désir de le protéger contre ses propres fantasmes, je m'approchai de lui et posai ma main sur son épaule.

— Tu n'as pas faim, Normand ? lui demandai-je. Si l'on faisait venir à manger...

— C'est une bonne idée, dit-il en souriant pour la première fois. Toutefois, il se rembrunit aussitôt : Tu penses que les *chiens* voudront que nous fassions venir quelque chose du restaurant ?

— Laisse-moi faire. Je vais appeler Robitaille ; je lui dirai de faire venir de la pizza et de la bière.

— Des cigares aussi, ajouta Normand Champagne qui avait retrouvé sa bonne humeur. J'ai le goût de fumer un bon cigare.

Je décrochai l'appareil pour composer le numéro du chef de la sécurité.

— Et s'il me demande ce que tu comptes faire des otages, qu'est-ce que je dois lui répondre ?

– Dis-lui que je ne sais pas encore ce que je ferai d'eux ; j'y pense en ce moment. Je veux d'abord que tu transmettes mon message à la population ; après on verra.

À nouveau, j'étais tendu, nerveux ; je dus composer le numéro de téléphone à deux reprises avant de joindre Gaston Robitaille.

– Comment vas-tu, Claude ?... Non ! ne réponds pas, dit-il aussitôt pour m'éviter un faux pas.

– M. Robitaille ? fis-je comme s'il ne m'avait rien demandé. Les otages sont sains et saufs comme Normand Champagne vous l'avait promis...

Le téléphone me fut arraché des mains.

– Eh ! la sécurité ? Ici d'Arabie, Normand d'Arabie. Faites-moi venir dix pizzas, de la boisson gazeuse en bouteille, pas en cannette. Apportez aussi deux paquets de cigarettes et des cigares, des bons. Je veux aussi de la bière. As-tu compris, tête d'eau ?

– C'est bien, Champagne, répondit Gaston Robitaille. Tu auras tout cela dans une demi-heure, le temps de placer la commande. Pour ce qui est de la bière, tu feras attention, n'est-ce pas ?

– Écoute-moi bien, le cave, cria Champagne. Vas-tu placer la commande ou non ?

– Oui ! C'est d'accord.

Normand Champagne replaça le téléphone sur son support avant de se tourner vers moi.

– Tu n'avais pas la bonne manière, dit-il. Avec eux, il ne faut jamais prendre des gants blancs, sinon tu te retrouves solidement ficelé à ton lit. Ne crains rien, dans une demi-heure, le repas sera là.

Gaston Robitaille devait être inquiet, mais je n'y pouvais rien. Normand Champagne avait agi trop rapidement. Je m'inquiétais également de la décision qu'il me faudrait bientôt prendre quand le mutin exigerait que je mette les ondes de ma station de radio à sa disposition. Pour éviter le pire, je ne voyais qu'une solution : l'aider à rédiger son message et le lui faire lire en ondes, comme s'il s'agissait d'un reportage.

40

Tandis que nous attendions notre repas, je me renseignai sur ce qu'il comptait dire aux auditeurs.

– Tu penses encore que je suis fou, que je vais raconter n'importe quoi ?

– Non ! pas du tout, réussis-je à dire, surpris d'avoir été deviné. Je veux seulement t'aider, ajoutai-je en évitant son regard.

– M'aider ! M'aider ! Je n'entends que ce mot depuis douze ans. Les médecins me disent qu'ils vont m'aider ; les autorités de la prison, les gardiens, tous ceux que je rencontre me disent qu'ils vont m'aider… Oui ! m'aider à atteindre la limite de mes forces. De toute façon, ils m'ont presque déjà démoli, moralement et physiquement.

– Pourquoi dis-tu cela, Normand. Tu sais bien, pourtant, que je suis venu ici à ta demande, et pas pour te nuire.

– C'est vrai ! J'avais peur que les policiers ne me tirent dessus mais je voulais aussi attirer l'attention du gouvernement, pas seulement sur mon sort, mais sur celui de tous ceux qui vivent dans ses « fabriques de tueurs », et cela doit drôlement te surprendre. Tu devais t'être dit : Champagne est fou ; c'est sa folie qui le conduit à poser de tels gestes. Eh bien ! non, mon vieux. Je suis même trop lucide ; c'est cela d'ailleurs qui a toujours fait mon malheur…

Il avait déposé une de ses armes et, de sa main restée libre, il se massait de nouveau les tempes. Pendant un instant, il resta silencieux, cherchant sans doute à rassembler ses idées.

– Tu ne peux pas savoir comment c'est *en dedans*, finit-il par dire. Tu as beau connaître des tas de choses, tu ne peux pas imaginer ce qu'est notre vie. Tiens, j'avais un ami avant d'être conduit ici. Il est devenu paranoïaque. Pourquoi ? Parce qu'il était beau garçon. Il recevait des propositions de tous les détenus et, comme il refusait de se laisser entraîner dans une histoire de ce genre, il s'est mis à craindre tout le monde. Je pense même qu'il se méfiait de moi, même si je lui avais promis ma protection. Un jour, les gardiens l'ont trouvé mort dans sa cellule… Pendu ! Le *système* venait d'en engloutir un autre. Mourir si jeune, à 24 ans, et d'une façon si misérable…

C'est à peine croyable. Quelle pitié, mon Dieu ! Je pourrais te raconter bien d'autres histoires de ce genre, mais je ne sais pas si cela suffirait à te faire comprendre à quoi nous en sommes réduits parfois. L'an passé, par exemple, un pauvre type s'est coupé froidement les deux oreilles pour attirer l'attention des autorités de la prison. Il avait même percé un des lobes pour s'en faire un pendentif. Il n'avait posé ce geste insensé que pour obtenir d'être transféré dans une autre institution, moins inhumaine. Il ne pouvait plus vivre en cellule, une cellule à peine plus grande qu'une remise à outils. Il avait des nausées à force d'en contempler les murs et il préférait mourir plutôt que de les supporter plus longtemps encore. Tu vois, tout ça, quelqu'un qui n'a pas vécu dans une cage ne peut croire qu'un homme en arrive à souhaiter mourir après seulement quelques mois de ce régime. Il y a pourtant pire pour les gars de ma trempe, les récalcitrants. La ségrégation ! Au moindre prétexte, pour de vagues raisons de sécurité, les gardiens nous suppriment la promenade. La nuit, nos cellules sont éclairées par de puissantes veilleuses, et comme si ça n'était pas suffisant, les gardiens, toujours les mêmes, les plus sadiques, prennent plaisir à nous braquer dans les yeux leur grosse lampe de poche. Les *rats* qui les servent, tous d'anciens gars du *Milieu* qui se sont transformés en mouchards, prennent la relève pendant le jour. Ils renversent la sauce aux tomates dans notre dessert ; ils volent nos rations ; ils mettent à l'occasion de l'eau de javel ou du sel dans notre café. Au fond, ce n'est pas bien grave en comparaison d'un séjour au *trou*. Une cellule sans fenêtre, deux fois plus petite que les nôtres ; mais à la longue, cela nous incite au pire. Quand un gars est bien *à point* et qu'il se jette sur le premier garde venu, ils sortent les gaz, du cyclopropane, de quoi le mettre K.-O. en moins de deux. Parce que je ne voulais pas goûter à cette médecine et que j'attendais mon heure, pendant plus de neuf mois, j'ai été obligé de reculer au fond de ma cellule si je voulais recevoir mon repas ; ils étaient pourtant trois devant ma porte.

Je le laissais parler. Nous étions assis, à même le sol, indifférents à tout ce qui nous entourait. Depuis longtemps déjà, le délai fixé pour la livraison du repas s'était écoulé, mais ni lui, tout à ses souvenirs qu'il revoyait comme la cicatrice d'autant de blessures, ni moi, constatant le vide de ma vie professionnelle, n'en avions cure. Les confidences de Normand Champagne m'avaient, en quelque sorte, fait entrevoir ce que j'avais toujours refusé d'admettre, de peur d'avoir à prendre parti. Je suivais depuis dix ans les faits et gestes des plus célèbres hors-la-loi ; je couvrais les grands événements où ils se trouvaient souvent plongés contre leur gré, au hasard d'une émeute ou d'une confrontation avec la police, mais, prudemment, j'étais toujours resté à l'écart, ne cherchant pas même à comprendre ce qui les poussait à agir. Il en était de ces événements comme de tout le reste ; je refusais de chercher les pourquoi et les comment.

Normand Champagne ne me reprochait rien, pas plus que tous les autres détenus qui m'avaient demandé de porter leur cause devant l'opinion publique et que j'avais déçus, sachant me faire sourd, muet, aveugle quand il le fallait, quand une intervention pouvait compromettre un statut si chèrement acquis au cours des années.

Mais peut-être n'était-il pas trop tard ?

Comme Normand Champagne s'était tu et qu'il ne semblait guère prêt à poursuivre, je lui dis :

– Viens ! Nous allons le rédiger ton fameux texte. Tu le liras sur les ondes.

Il m'importait peu à ce moment-là que mon employeur me congédie pour avoir donné la parole à un « pauvre fou », mais j'aurais eu bien tort de m'en faire.

– Dans trente secondes, tu seras en ondes, Claude, me dit le technicien de la salle des nouvelles que j'avais appelé avec l'accord de Normand Champagne. Tu as le feu vert. J'ai appelé le chef des nouvelles chez lui ; il est en route pour la station. Il sera là à ton prochain appel.

– D'accord, lui dis-je avant de me tourner vers Normand Champagne. Tu es prêt ?

– Oui ! Tu penses que des gens nous écoutent à cette heure ?

– Ne t'en fais pas pour ça ; dans cinq minutes, tous les autres postes transmettront un bulletin spécial et leurs auditeurs chercheront notre fréquence pour en apprendre davantage.

– Prêt ? dit le technicien, à l'autre bout.

– Prêt !

Au top, je présentai Normand Champagne aux auditeurs avant de poser ma première question :

– Ici Claude Poirier, je suis, à l'instant, au deuxième étage de l'aile 1 B de l'institut Louis-Philippe-Pinel, en compagnie de Normand Champagne qui détient, depuis 1 heure cet après-midi, trois employés en otages. Normand, dites-moi, pourquoi avez-vous posé un tel geste ?

Sans autre préambule, Champagne reprit sa formule :

– Ici Normand Champagne, dit Lawrence d'Arabie. J'ai un message à transmettre à la population concernant les conditions de détention…

Il lut son texte jusqu'à la fin, sans reprendre son souffle, mais au moment où j'allais reprendre le micro, il ajouta une phrase de son cru.

– Je demande au ministre de la Justice de communiquer avec *moi-même*, Normand Champagne, dit Lawrence d'Arabie, à l'institut Louis-Philippe-Pinel…

En colère, je coupai le son.

– Qu'est-ce qui te prend ? Pourquoi as-tu demandé au ministre de t'appeler ?

– Je veux être pris au sérieux, et lui seul peut changer quelque chose. Tu ne penses pas que c'est une bonne idée ?

Je dus en convenir ; je rappelai même le technicien pour demander que le message soit répété à intervalles réguliers sur nos ondes.

– Comme cela, je suis certain que le ministre l'entendra, ajouta Normand Champagne. Et si on mangeait maintenant, dit-il avec entrain, avant de s'inquiéter de l'heure. Qu'est-ce qu'il fabrique, Robitaille ? Il m'avait pourtant promis que le repas serait là à 10 heures et il est plus de 10 heures 30. Je suis certain qu'il prépare un mauvais coup.

Je voulus le rassurer, mais il ne m'écoutait déjà plus, les yeux tournés vers le corridor obscur d'où il lui semblait avoir entendu un bruit. Je prêtai l'oreille ; Normand Champagne avait raison : quelqu'un venait vers nous et, fait étrange, sans chercher à dissimuler le bruit de ses pas.

– Ça ne peut pas être un garde, dis-je pour apaiser Champagne, mais je ne pouvais en jurer.

Qui sait ce qui avait pu survenir depuis que j'avais laissé le chef de la sécurité dans la pièce du deuxième où il avait établi son quartier général. Des policiers venus en renfort pouvaient déjà occuper la place ; ils avaient peut-être même réussi à convaincre Gaston Robitaille de tenter un assaut. Comme il était sans nouvelles de moi depuis plus d'une heure maintenant, il avait pu perdre espoir. Je m'approchai de la porte pour tenter de percer l'obscurité ; Champagne crut que j'allais tenter de fuir.

– Ne bouge pas, ordonna-t-il. Si c'est un *chien*, tu vas y passer comme les autres...

– Qu'est-ce que tu t'imagines ? Que je suis un gars qui ne tient pas ses promesses ? Je t'ai dit que je resterais à tes côtés tant que l'affaire ne sera pas terminée. J'ai confiance en Robitaille ; il ne tentera rien tant que les otages seront en vie. Alors, inutile de t'énerver. Et puis, si c'était un gardien ou même un policier, tu crois qu'il ferait autant de bruit ?

À moins, me dis-je, qu'il ne s'agisse d'un leurre ; l'intrus pouvait avoir pour mission d'attirer notre attention tandis que les tireurs d'élite prenaient position dans le corridor opposé. Cette possibilité me parut d'autant plus valable que Normand Champagne n'avait pas tourné la tête une seule fois depuis qu'il avait décelé des bruits de pas, certain que les assaillants tenteraient de pénétrer dans le poste de guet en enfonçant la porte. L'idée ne l'avait pas effleuré qu'une seule balle pouvait suffire a mettre fin à sa résistance ; placé en pleine lumière, il devait même offrir une cible de choix. Je sentis un fourmillement dans ma nuque, comme si quelqu'un se trouvait derrière moi ; je m'abstins pourtant de satisfaire ma curiosité, de peur d'éveiller la méfiance de Normand Champagne. Je fus tenté également de faire un pas de côté pour ne pas rester dans la ligne de tir, mais je me refusais à cette trahison.

Puis tout se précipita.

Normand Champagne, à bout de patience, incapable encore d'identifier l'homme qui s'approchait, se rua sur Gilles Beaulieu.

Chapitre 4

– C'est Crevier[1], dit vivement l'infirmière qui avait reconnu le détenu chargé de faire la navette entre le poste de garde et le bureau du chef de la sécurité. Il apporte le repas.

Normand Champagne relâcha son étreinte.

– Il m'a fait peur, le maudit… Il n'aurait pas pu appeler comme je le lui avais dit.

Ignorant tout du drame qui venait de se dérouler, Raymond Crevier exhibait fièrement deux grands sacs d'où il puisa de la bière, des cigarettes, plusieurs pizzas et même une boîte de cigares. C'était plus qu'il n'en avait vu depuis longtemps. Il souriait béatement à chacune de ses trouvailles, incitant du regard Normand Champagne à se réjouir de sa bonne fortune. Le mutin, pourtant, restait de glace. Il entrouvrit la porte pour s'emparer des sacs qu'il arracha presque des mains de son coursier avant de laisser éclater sa colère.

– Fous le camp ! Tu m'entends, fous le camp !

Le détenu qui ne comprenait rien de ce qui lui arrivait voulut s'expliquer.

– Écoute, Normand, je…

– Tu es sourd ? Tu n'as pas compris peut-être ce que je t'ai dit ? Disparais, et surtout que je ne te revoie plus.

L'alerte avait été éprouvante ; les effets de la tension qui nous avait habité tous, pendant de longues minutes, furent lents à se dissiper. Quand il n'en subsista plus aucune trace, je me rendis compte que Normand Champagne n'était plus totalement le

---

1. Nom fictif.

même. Sa bonne humeur avait disparu et c'est sans joie que je fis la distribution des vivres. Personne n'osa rompre le silence. Tous les regards se portaient vers Normand Champagne qui s'était assis à l'écart, les traits du visage à nouveau crispés par la douleur.

– Mange, lui dis-je. Ça va passer.

Il leva les yeux vers moi. Je crus lire dans son regard une sorte de détresse, un appel à l'aide désespéré. Il était vaincu et il ne l'ignorait plus. Même son fol espoir de joindre le ministre de la Justice, de lui expliquer son geste, s'était évanoui pour faire place à une grande lassitude.

La nuit était venue avec son cortège de hantises, de peurs, d'amertume.

– Va voir s'il y a beaucoup de monde dehors, me demanda-t-il en désignant une fenêtre au bout de l'un des corridors.

Cette démarche me paraissait bien inutile dans les circonstances, mais je fis ce qu'il me demandait.

J'avais vu juste.

Par centaines, les curieux se pressaient, dans une atmosphère de fête, aux abords de l'institut Louis-Philippe-Pinel. Des barrages avaient été dressés pour contenir la foule, mais les policiers se révélaient incapables d'empêcher les plus audacieux de prendre position devant la barrière de l'institution. Les journalistes et les photographes étaient au nombre des curieux ; ils discutaient avec une dizaine d'agents placés comme sentinelles. J'en vis d'autres, embusqués à proximité du bâtiment, un fusil à la main, vêtus de gilets pare-balles. Ils devaient encore ignorer que Normand Champagne n'avait pas même un revolver. Tant qu'ils n'en sauraient rien, nous serions à l'abri, mais tôt ou tard, un malin devinerait tout.

L'éclair d'un flash illumina la fenêtre où je faisais le guet. Je reculai instinctivement dans l'ombre pour ne pas être vu, jonglant avec une idée qu'avait fait naître cet incident.

Je courus presque jusqu'au poste de garde où Normand Champagne, anxieux, guettait mon retour sur le seuil de la porte.

– Les *bœufs* sont là ?

– Oui !

– En grand nombre ?

– Je ne sais pas, mais tu peux être certain qu'ils n'ont pas fait les choses à moitié. Tout l'immeuble doit être encerclé à l'heure présente. Tu ne peux pas leur échapper. Tu seras pris avant même d'avoir atteint l'escalier.

Comme une bête aux abois, sur le point d'être rejointe par la meute, il se repliait sur lui-même, prêt à perdre tout courage. L'instant était critique puisqu'il pouvait encore se rebeller, mais je ne lui en laissai pas le temps.

– Les gars du lieutenant Roch sont là !

Normand Champagne frémit de la tête aux pieds en entendant le nom de l'officier commandant la Brigade de choc de la police de Montréal. Peu avant que la panique ne l'emporte, je jetai ma dernière carte.

– Il te reste une chance d'en sortir vivant…

Je laissai cette idée pénétrer son esprit avant de reprendre :

– … tu vas libérer les otages. En échange, demande une rencontre avec les journalistes. Tu pourras leur raconter tout ce que tu as sur le cœur, tu pourras vider ton sac sans que personne ne cherche à t'en empêcher. Après, ils feront un tel bruit avec ton histoire que le gouvernement devra bouger. Peut-être même sera-t-il obligé de créer une commission d'enquête sur les conditions de vie dans les prisons, qui sait ?

Normand Champagne se taisait, mais je voyais bien à son regard qu'il ne perdait rien de ce que je disais.

– Si tu es d'accord, je vais transmettre cette proposition au Dr Béliveau. Je suis certain qu'il l'acceptera. Il ne peut pas dire non, surtout si tu libères les employés.

Il refusait encore de se laisser convaincre. L'infirmière vint me prêter main-forte.

– Normand, je t'en supplie, fais confiance à Claude Poirier. C'est la seule façon d'agir pour que le public apprenne toute la vérité sur ce qui se passe dans les prisons.

– Bon, d'accord ! dit Champagne, mais il n'est pas question que la rencontre se fasse à l'institut Pinel. Si le directeur accepte de me laisser sortir d'ici, je veux bien libérer tout le monde.

– Nous tiendrons la conférence à ma station de radio ; les journalistes viendront nous y rejoindre. Ça te va ?

– Oui ! Mais encore une chose ; demande à Béliveau qu'il m'accorde une permission de trois jours. Je mérite bien un petit repos après toutes ces émotions.

Cette dernière demande ne serait jamais acceptée, du moins avais-je ce sentiment en communiquant à Gaston Robitaille les exigences du mutin. À ma grande surprise, le chef de la sécurité parut trouver l'offre fort convenable.

– Donne-moi dix minutes ; je te rappelle pour te transmettre la réponse du directeur. Je pense qu'il lui accordera ce qu'il demande, mais ne lui dit rien encore. Il vaut mieux prévoir le pire.

Je raccrochai ; Normand Champagne me pressa de lui faire connaître le verdict.

– J'ai parlé avec Robitaille : il n'a pu rien me dire. L'affaire est maintenant entre les mains du Dr Béliveau. Il faut attendre.

– Tu aurais dû leur dire que je peux changer d'idée s'ils tardent trop à se décider. Je sais comment ils sont ; ils chercheront à gagner du temps pour permettre aux *bœufs* de me préparer une jolie surprise, mais si je soupçonne une traîtrise de leur part, il y aura du sang. Je n'ai plus rien à perdre. Je suis déjà en dedans jusqu'à la fin de mes jours.

À 23 h 45, les demandes de Normand Champagne étaient acceptées ; Gaston Robitaille m'apprit la nouvelle sans se montrer autrement surpris de la décision, comme s'il était normal, en somme, qu'on envisage de remettre en liberté un dangereux psychopathe.

« Ou bien, me dis-je, ils sont dépourvus de sens commun, complètement dépassés par les événements, ou bien, ils préparent un coup fourré… »

Qui pouvait prévoir à quels excès Normand Champagne se livrerait une fois hors des murs de l'institut Louis-Philippe-Pinel ? Qui pouvait jurer que, au terme de ses trois jours de «congé», Normand Champagne accepterait de réintégrer une cellule ?

Le risque me paraissait trop élevé en regard des avantages immédiats. La vie de deux jeunes femmes et d'un homme était en jeu, mais pour les libérer, pouvait-on en toute conscience accepter de lâcher un fauve dans la ville ? Cette perspective me paraissait invraisemblable, surtout si l'on tenait compte des hommes qui avaient eu à prendre la décision. Ils préparaient donc une embuscade.

Je ne savais pas encore où, ni quand, ni quelles mesures ils adopteraient pour que la capture de Normand Champagne ne se termine pas dans un bain de sang. Il m'était facile de prévoir que rien ne serait tenté avant la libération des trois otages ; les policiers se garderaient d'agir tant et aussi longtemps que Normand Champagne tiendrait les employés à sa merci. Ils hésiteraient également à passer à l'action dans la cour de l'hôpital, devant les journalistes et les curieux. Ils préféreraient attendre, ne serait-ce que quelques minutes, le temps que le mutin s'éloigne de l'institut Louis-Philippe-Pinel, même s'ils prenaient le risque de le perdre de vue. À leurs yeux, cela vaudrait mieux qu'une bataille rangée devant les caméras de télévision avec tous les risques que cela suppose : l'échec de l'embuscade ; un passant tué accidentellement...

Je ne pus m'empêcher de regarder Normand Champagne au moment où les plus folles suppositions effleuraient mon esprit. En captant son regard, je sus qu'il partageait mes craintes. Devais-je lui faire part de mes propres inquiétudes ?

Les secondes filaient ; bientôt il serait trop tard, mais je restais muet. J'étais incapable de déterminer quel était mon devoir. Me taire encore, c'était trahir Normand Champagne qui, apparemment, me faisait toujours confiance, malgré ce qu'il soupçonnait lui-même. Parler, c'était courir le risque de voir reporter indéfiniment la libération des otages ; pire, Normand Champagne pouvait blesser, même tuer un otage, pour montrer sa détermination. J'avais le choix, mais était-ce vraiment un choix ? Je ne pouvais évoquer la possibilité de tromper Normand Champagne sans ressentir un profond dégoût; cette idée venait en conflit avec cette sorte de morale que je m'étais faite au cours des années dans mes relations avec ceux que la justice tenait pour des hors-la-loi, qu'ils soient connus ou non du grand public. Je savais également que toute trahison de ma part serait connue du *Milieu*, que ma carrière serait à jamais compromise, et j'avais tant travaillé pour être ce que j'étais devenu que, au dernier moment, j'hésitais… Je ne pouvais comme cela, sans réfléchir, sans y penser au moins, renier vingt ans de vie.

Une solution me vint au dernier instant. «Qu'il libère les otages, je resterai à ses côtés pour que rien ne lui arrive», pensai-je à l'instant où Normand Champagne sortait de son mutisme.

– Tu vas rappeler Robitaille; dis-lui que je sais qu'il me prépare l'un de ses coups fourrés. Il n'a sûrement pas l'intention de me laisser partir. Les *bœufs* vont se jeter sur moi dès le premier coin de rue; ils iront jusqu'à m'abattre sans pitié si je tente quoi que ce soit pour m'échapper. Dis à Robitaille que plus personne ne sort d'ici.

Je proposai alors de me substituer aux otages.

– Je vais demander qu'on amène mon auto devant l'entrée et que les policiers vident la place. Tu ne libéreras les employés qu'une fois rendu dans la cour. Est-ce que ça te va?

– Oui! Mais si je vois un gardien ou un flic dans les corridors, je poignarde quelqu'un… N'importe qui, tu m'entends?

Il pleuvait maintenant.

Sur le seuil de la porte d'entrée, un sourire aux lèvres, Normand Champagne regardait les curieux. Sous la lueur des flashes, la cour s'illumina, révélant la présence des otages, placés légèrement en retrait. Un murmure, une sorte de grondement, parcourut les premiers rangs de la foule. Un instant, je crus qu'elle allait franchir les cordons de sécurité, sous la poussée de ceux qui n'avaient encore rien vu, mais les policiers redoublèrent d'ardeur, bousculant les plus audacieux, hurlant des appels au calme. Profitant du désarroi momentané des forces de l'ordre aux abords immédiats de l'asile, quelques photographes se faufilèrent dans la cour. Ils se tinrent d'abord prudemment à distance, puis devant la mine réjouie de Normand Champagne, ils se firent plus audacieux. Ils vinrent jusqu'au pied de l'escalier où mon automobile avait été stationnée, mitraillant littéralement chacun des acteurs du drame. «Laisse-moi un peu de place... écarte-toi, se disaient-ils entre eux, tandis que Normand Champagne, souriant, un énorme cigare au bec, allait et venait devant eux. Toute crainte semblait l'avoir quitté, alors qu'il avait fait preuve d'une prudence excessive, quelques minutes plus tôt, en parcourant les couloirs de l'asile pour gagner la sortie. Sa méfiance même s'était évanouie comme par enchantement à la vue de la foule et, malgré ma hâte de quitter les lieux, je le laissai savourer sa victoire. Ne lui avais-je pas promis une plus large audience s'il consentait enfin à sortir de son refuge, s'il acceptait de libérer sains et saufs ses otages ?

Sa victoire, dont il tirait vanité devant les journalistes, était pourtant bien fragile, du moins avais-je ce sentiment en scrutant les visages qui se pressaient à la barrière. L'un d'entre eux attira mon regard ; en dépit de ses lunettes de soleil, ou peut être à cause d'elles, je reconnus un membre de la Brigade de choc. Je voulus entraîner Champagne vers mon auto, craignant une intervention de la police, mais il se dégagea de mon emprise pour marcher vers Mlle Nadeau.

– Avant de partir, dit-il, je voulais m'excuser pour ce que je vous ai fait subir. Il ne faut pas m'en vouloir. Je ne suis pas un mauvais gars comme on peut le penser, j'ai voulu seulement que le public connaisse toute la vérité sur notre sort. J'espère que vous me comprenez.

– Ne t'en fais pas pour nous ! Tout est fini maintenant...

Huguette Sarrazin, qui n'avait pas prononcé le moindre mot depuis le début de l'affaire, s'approcha de nous.

– Ne fais surtout pas de folies, Normand, supplia-t-elle d'un ton nerveux, visiblement émue. Reviens-nous dans trois jours comme tu en as fait la promesse...

Normand Champagne prit la main qu'elle tendait; il l'emprisonna entre ses propres mains, son geste se muant en une caresse, comme s'il avait voulu effacer le souvenir des heures d'angoisse qu'elle avait vécues en sa compagnie.

– Je ne suis pas un mauvais gars, répéta-t-il à son intention, dans un murmure à peine audible, avant de se tourner, à ma grande surprise, vers l'homme qu'il n'avait pas cessé de tyranniser pendant plus de dix heures. À lui aussi, il présenta ses excuses avant de prendre place dans l'auto.

– Où va-t-on maintenant? lui demandai-je en démarrant sur les chapeaux de roues pour échapper à toute filature.

Il adressa un signe, le V de la victoire, aux rares témoins de notre sortie avant de déclarer pompeusement:

– Mission accomplie… *Lawrence d'Arabie* a de nouveau réussi!

Je brûlai prudemment les premiers feux rouges pour m'assurer que nous n'étions pas suivis avant de reposer à nouveau ma question.

– Il faut que je rende visite à ma mère, dit-il; elle doit s'inquiéter pour moi.

Personne ne semblait avoir pris mon auto en chasse; je jetais fréquemment un œil au rétroviseur, accélérant dès qu'une voiture nous serrait de trop près, empruntant des rues désertes pour décourager toute poursuite. À proximité du domicile de Normand Champagne, j'avais fait si bien que j'étais prêt à jurer que rien ne serait tenté contre lui, du moins tant que je serais à ses côtés. Nous étions déjà loin de l'institut Louis-Philippe-Pinel et je n'avais pas même vu l'ombre d'une auto du Bureau des enquêtes criminelles. Le Dr Béliveau tenait donc la promesse qu'il avait faite à Normand Champagne de lui accorder une sorte de congé pendant les trois prochains jours. Je ne savais pas s'il fallait me réjouir de sa décision ou, au contraire, m'en attrister, d'autant plus que l'état de Normand Champagne ne cessait de m'inquiéter. Depuis un moment déjà, il ne portait plus attention au mille gadgets électroniques qui équipaient ma voiture et devant lesquels il s'était extasié en prenant place sur la banquette avant; les traits tirés, les yeux clos, il souffrait de nausées qui le laissaient sans voix. Comme j'allais lui demander ce qui n'allait pas, il entrouvrit la portière et vomit ; je ralentis mais, d'un mouvement de la main, il m'ordonna de poursuivre ma route. Quand j'arrêtai l'auto devant la résidence de sa mère, il avait heureusement retrouvé son aplomb, sinon je n'aurais su que faire ; je me serais peut-être vu obligé de le conduire à l'hôpital, ce dont il ne m'aurait pas su gré une fois remis. Maintenant, son malaise s'était dissipé, il avait recouvré sa lucidité. Il était de nouveau aux aguets.

– Ils sont sûrement tout près, me confia-t-il sans élever la voix ; je sais qu'ils sont là. Je les sens, mais je leur réserve une bonne surprise.

– Tu ne crois pas qu'il vaudrait mieux partir immédiatement ? lui conseillai-je. Mon automobile ne passe pas facilement inaperçue avec le sigle de ma station et toutes les antennes de radio. Les policiers n'auront aucune peine à nous retrouver ici. Parmi tous ces gens sur les balcons, il s'en trouvera certainement un pour les appeler et, après, tu pourras dire adieu à ton « congé ».

– Tu es toujours avec moi et ça me suffit. Robitaille et Béliveau ont promis de laisser les *bœufs* en dehors du coup ; ils ne feront rien tant qu'ils te sauront avec moi… De toute façon, nous ne resterons pas longtemps, juste le temps de rassurer maman, et puis tu me reconduiras dans le centre-ville.

Normand Champagne avait abandonné son projet de tenir une conférence de presse ; il ne songeait plus maintenant qu'à rejoindre son complice, André Gratton, dans un refuge dont il ne voulait rien me dire. Je ne tenais pas non plus à le connaître, de peur que s'il venait à être capturé il ne soupçonne une traîtrise de ma part. Il est souvent difficile d'expliquer à des hommes frustrés ou privés de raison certaines coïncidences troublantes ; j'avais donc adopté comme règle de ne jamais poser de questions, d'interrompre même mon interlocuteur, quel qu'il soit, quand il se laissait aller à faire certaines confidences. Comprendre les motifs, expliquer la mécanique d'une agression, la stratégie adoptée, oui ! Mais jamais chercher à découvrir l'identité des complices, celle du tueur à qui on avait confié l'exécution d'un rival, le lieu d'une retraite ou encore, les caches d'armes. Et ce que le hasard pouvait m'aider à découvrir, je savais le garder pour moi.

– Allons-y, dis-je de mauvaise grâce à Normand Champagne. Je passe en premier; si la voie est libre, tu viendras me rejoindre.

Je sonnai une première fois à la porte de la résidence de sa mère. Comme personne ne venait ouvrir, je frappai au carreau à plusieurs reprises pour me faire entendre de la maisonnée. Deux ombres se profilèrent dans le vestibule, celles de deux femmes qui semblaient hésiter à m'ouvrir.

La plus âgée, qui m'avait reconnu, entrouvrit la porte, malgré les protestations de sa compagne, sa fille, devais-je apprendre par la suite.

– Il est là? demanda la mère de Normand Champagne, visiblement terrorisée.

– Oui! Il voulait vous voir pour vous rassurer sur son sort. Je lui dis de venir?

Mais Normand Champagne n'avait pas attendu mon appel; il s'était approché sans bruit, attendant la réponse de sa mère qui avait reculé machinalement en découvrant sa présence à mes côtés.

Comme elle n'osait rien dire, sous l'effet d'une peur intense, Normand Champagne lui dicta sa conduite avant de se glisser à l'intérieur.

– Offre une bière à Claude, maman; il en a besoin après tout ce qu'il a vécu.

Pauvre femme! Elle était bien incapable du moindre geste. Immobile sur le pas de la porte, elle regardait son fils en qui elle ne retrouvait plus l'être qu'elle avait conçu, l'enfant qu'elle avait aimé. Normand Champagne n'était plus à ses yeux qu'un étranger, un homme dont elle craignait la violence. J'assistais, impuissant, à sa détresse. J'aurais voulu trouver des mots qui la rassureraient, mais je ne sus que dire: «Nous allons partir bientôt; je vais l'emmener ailleurs…»

– Vous êtes bien bon de vous occuper de lui, M. Poirier.

Je la suivis dans la cuisine où Normand Champagne avait pris place à la table, comme s'il était encore chez lui ; il s'était versé un grand verre de lait, faute de bière et il dévorait à pleines dents un énorme morceau de gâteau. Quand il eut terminé, il nous quitta un instant pour aller inspecter la rue ; à son retour, la hargne avait transformé ses traits.

– Les salauds ! Ils m'ont menti, me dit-il en s'emparant de ses armes qu'il avait oublié sur le comptoir de la cuisine. Tu ferais mieux de passer un nouveau message sur les ondes si tu veux sortir vivant d'ici.

– Du calme, Normand ! Ce n'est pas le moment de t'énerver. Je vais aller voir ce qui se passe.

– Reste ici et fais ce que je t'ai dit. Appelle ta station de radio, ça vaudrait mieux pour toi.

Je dus répéter mon message adressé au Dr Lionel Béliveau à deux reprises avant que Normand Champagne ne consente à mettre fin à ses menaces. Sa mère s'était mise à pleurer, mais il n'avait d'yeux que pour les voitures stationnées à proximité de la maison. Des policiers en position de tir montaient une garde vigilante derrière les portières entrouvertes de leur auto, tandis que d'autres, le fusil toujours à la main, invitaient les curieux à se réfugier dans leur logis. Ils étaient encore peu nombreux, quatre ou cinq tout au plus, mais ils devaient avoir demandé des renforts. Bientôt, la rue serait bloquée, des barricades seraient dressées, rendant toute fuite impossible…

– Il faut partir immédiatement, dis-je vivement à Normand Champagne, sinon nous sommes cuits.

– Nous ne sortirons pas d'ici tant que les *bœufs* seront là.

– Tu veux être tué ou quoi ? Tu préfères attendre qu'ils viennent nous cueillir ? Reste si tu veux, mais moi je sors…

Chapitre 5

J'avais perdu tout sang-froid. Par une sorte de mimétisme, mon propre sort se confondait avec celui de Normand Champagne; mes gestes étaient ceux d'un homme traqué, cherchant désespérément une issue, prêt à toutes les audaces, ne serait-ce que pour gagner quelques précieuses secondes. J'allais de la fenêtre de la cuisine à celle du salon en répétant: «Il faut partir... sinon nous n'avons aucune chance... Il faut partir.» Pourtant, je n'osais encore rien faire. J'avais peur, peur de ceux qui nous attendaient à l'extérieur, peur de ce que pouvait encore tenter Normand Champagne, peur de mourir...

Était-ce cela mourir?... une longue attente, une chute lente dans un abîme sans fin?... «Mon Dieu, murmurai-je, que cela finisse au plus tôt!» C'était cela surtout qui me terrifiait: ne pas savoir... Être là, bien vivant, et pourtant, presque mort. Cette seule certitude occupait mes pensées alors que bien d'autres tâches auraient dû retenir mon attention. Il nous fallait pourtant sortir de ce guêpier avant que les renforts n'arrivent.

– Viens, ordonnai-je finalement à Normand Champagne, que ma propre peur avait affolé.

– Non! Je ne veux pas! Ils vont me tirer dessus...

– Pas tant que je serai devant toi... Viens!

Je courus vers la voiture, Normand Champagne sur mes talons. Le déclic des culasses qu'on arme ne me fit pas même ralentir. J'ouvris la portière, cachant mon compagnon d'infortune qui se glissait sur la banquette avant en se faisant petit pour éviter d'être la cible des tireurs d'élite et, sans même regarder si la meute se lançait à nos trousses, je démarrai en trombe.

– Ils nous suivent, me dit Champagne.

Je virai dans une ruelle obscure en espérant augmenter mon avance, mais le conducteur de la première autopatrouille avait prévu la manœuvre. Dans sa hâte, pourtant, il heurta un amoncellement de boîtes abandonnées là en prévision de la collecte prochaine des ordures ménagères. Des déchets de toutes sortes éclaboussèrent son pare-brise, lui faisant perdre de précieuses secondes. J'avais atteint, entre-temps, une grande artère où je me glissai parmi d'autres voitures filant à vive allure.

Profitant de ce court répit, je voulus demander à Normand Champagne s'il désirait toujours se rendre dans le centre-ville. Malgré les risques qu'il me faudrait encore prendre, j'avais la ferme intention de remplir ma partie du contrat. Je tiendrais coûte que coûte la promesse que je lui avais faite en échange de la libération des otages, même s'il me fallait pour cela répondre, par la suite, de mes actes devant les tribunaux. Mais Normand Champagne ne me permit pas de le rassurer sur ce que je comptais faire. Il avait repris ses armes, son couteau et la paire de ciseaux, et menaçait de s'en servir.

– Si la police nous coupe la route, ta vie ne vaudra plus grand-chose, mon pauvre Claude. Je ne t'en veux pas, mais je ne me laisserai pas prendre sans rien faire.

Nous approchions d'un carrefour important; si le feu passait au rouge, tout pouvait arriver.

– Ralentis un peu, me dit Normand Champagne que ses nausées avaient repris. J'ai envie de vomir.

– Pas ici, répondis-je en apercevant une foule nombreuse qui attendait sur deux rangs devant une salle de cinéma. Au prochain feu, ajoutai-je pour lui faire prendre son mal en patience.

– Attention, cria-t-il.

Je freinai brutalement pour éviter deux autopatrouilles qui venaient de croiser ma route; une troisième voiture nous coupait déjà toute retraite. Puis j'aperçus une quatrième auto-patrouille... une autre... encore une autre... elles semblaient venir de partout. Des policiers en jaillissaient comme des diables, armés de fusil, de mitraillette, de revolver. Ma main trouva la poignée de la portière et je me laissai tomber sur la chaussée, tandis que Normand Champagne était littéralement arraché de la voiture, une arme braquée sur sa tempe, une autre, lui visant le ventre. Au moindre geste de résistance, il aurait été abattu ; c'est du moins ce que je crus lire dans les yeux des policiers qui le tenaient en joue, alors que leur prisonnier hurlait sa révolte.

– Eh ! les *chiens*, laissez-moi partir. Je suis victime d'un système pourri. Ce n'est pas ma faute si j'ai la tête fêlée. Ne comprenez-vous pas ça, bande de morpions électriques ? Vous ne savez pas ce que c'est que vivre sur le *chalutier*, de ramer comme un fou dans une chaloupe prise dans le ciment…

Pendant onze heures, Normand Champagne avait été un homme *libre*. Assiégé, pourchassé, traqué, mais *libre*… capable du meilleur et du pire. Une liberté passablement réduite par sa folie, mais dans sa demi-conscience, quand le spectre de *Lawrence d'Arabie* ne hantait plus son esprit, il avait lutté jusqu'à l'épuisement pour « publiciser » une cause qu'il croyait juste.

Tous les gestes dont il s'était rendu coupable avaient peut-être été le fruit de sa folie, mais je ne pouvais me résoudre à le croire. Comment expliquer, sinon, ce courant de sympathie entre nous pendant les rares accalmies que nous avions vécues au cours de ces heures angoissantes.

La folle aventure de Normand Champagne avait pris fin sans effusion de sang ; il avait retrouvé le chemin des cellules ; j'avais repris mon travail. Pourtant, je ne cessais de repenser au rôle qui avait été le mien dans cette affaire.

Bien sûr, les otages avaient été libérés sains et saufs, ce qui devait d'ailleurs me valoir une première décoration pour acte de bravoure, mais, à mes yeux, je n'avais accompli qu'une partie de ma *mission* ; mon expérience dans de telles affaires et, surtout, l'action brutale de la police m'avaient empêché de mener à terme l'objectif le plus important de mon intervention, celui de convaincre Normand Champagne de se rendre de son plein gré pour conserver toute sa dignité.

Jamais je n'avais ressenti rien de tel, bien que, à plus de quatre-vingts reprises, j'avais eu à livrer à la justice des hommes recherchés pour meurtre ou pour d'autres délits. Peut-être était-ce à cause des circonstances, de l'absence de tension. Je me souviens, par exemple, que l'un d'entre eux m'avait conduit dans un parc où une vaste pièce d'eau permettait de courtes excursions en barque. J'avais dû louer une embarcation avant qu'il ne consente à m'avouer sa participation à un crime et son projet de se rendre à la police. Un autre individu, recherché pour un vol de bijoux, avait choisi un parc d'amusement; un troisième, un musée de cire, ce qui donna lieu d'ailleurs à un incident cocasse.

L'homme m'avait dit qu'il me reconnaîtrait sans mal; je devais me trouver à 15 heures dans une salle consacrée aux premiers chrétiens. À mon arrivée sur les lieux, de nombreux visiteurs contemplaient la reconstitution d'une scène de carnage dans une arène romaine. Tandis que je cherchais mon « homme » des yeux, l'un des visiteurs s'était approché d'un grand gars pour lui demander s'il était Claude Poirier. « Non, répondit-il d'une voix forte, mais je le connais bien. » Et pour cause, il était policier de son état.

De tels incidents, somme toute, étaient chose rare. Générale-ment, tout se déroulait sans accroc. Après avoir entendu les confidences de l'individu et lui avoir promis de communiquer avec sa famille ou avec un avocat, j'appelais l'un de mes nombreux amis dans la police pour lui apprendre que j'arrivais en compagnie d'un homme recherché par les services de la police.

Un seul des nombreux criminels à qui je prêtai mon concours me causa quelque inquiétude. L'individu était venu me rendre visite à ma station de radio. La veille, il avait trompé la vigilance de ses gardiens et il s'était enfui de la prison où il était incarcéré depuis plusieurs années. Nous avions longue-ment causé; il voulait mourir, m'avait-il avoué, plutôt que de retourner en cellule. Je l'avais laissé seul pendant quelques minutes, le temps d'aller commander à la réceptionniste un repas léger et de lui demander d'annuler tous mes rendez-vous.

Craignant sans doute une traîtrise de ma part, mon « évadé » avait profité de mon absence pour se taillader les poignets.

Trois mois après cet incident, alors que je le croyais de retour en prison, après un séjour à l'hôpital, il avait communiqué de nouveau avec moi d'un restaurant situé à l'autre bout du pays.

– Ne bouge pas de là, lui avais-je dit. Je te rappelle dans quelques minutes pour que tu n'aies pas à payer les frais de cette communication.

Avant de tenir ma promesse, je m'étais livré à une vérification auprès du chef de la sécurité de la prison où il devait se trouver, qui m'apprit que personne ne manquait à l'appel. « Je pense que vous auriez intérêt à procéder à une nouvelle vérification, lui avais-je dit. S'il vous manque quelqu'un, faites-moi signe. Je pourrai peut-être vous aider. »

Moins de dix minutes après cet appel, le directeur de la prison lui-même m'avait rappelé pour m'apprendre que mon « bonhomme » était introuvable. Après l'avoir assuré de ma collaboration, j'avais repris contact avec le fugitif pour lui conseiller de rentrer à Montréal.

– Je n'ai plus un sou ! m'avoua-t-il.

– Peu importe. Un de mes amis viendra te porter l'argent nécessaire et il te conduira à la station d'autocars.

Je lui avais donné rendez-vous dans l'immeuble d'un hebdomadaire auquel je collaborais. Cette fois encore, malgré mes paroles d'encouragement et celles de Me Robert La Haye, un jeune criminaliste dont j'avais fait depuis peu la connaissance, il avait tenté de mettre fin à ses jours avant d'être confié à la police.

J'étais pourtant resté froid à sa détresse, comme à celle de tous les pauvres hères qui avaient fait appel à mes services avant d'affronter la justice.

Après le drame de l'institut Louis-Philippe-Pinel, plus rien ne devait être comme avant. Toutes mes certitudes s'étaient écroulées. Les institutions, les idées, tout ce qui constitue l'armature de notre vie de tous les jours, n'avaient plus cette importance que je leur avais accordée jadis ; elles ne pouvaient plus justifier certains de mes comportements, le dédain secret, par exemple, que je portais aux citoyens les moins dignes de considération. Leurs crimes m'étaient toujours odieux, mais j'éprouvais désormais à leur égard une sorte de compassion.

Je voulais connaître leur passé, découvrir les raisons de cette lutte insensée dont ils savaient à l'avance qu'ils ne sortiraient jamais vainqueurs. Je voulais tout apprendre d'eux, non pour magnifier leurs tristes «exploits» ou pour en faire des figures de légende dans l'imagerie populaire, mais parce qu'ils étaient en quelque sorte «l'envers du décor».

C'est dans un tel état d'esprit que je fis la rencontre de Richard Blass, surnommé le *Chat*.

Partie II

Que je décrive sur une ou vingt pages les traitements auxquels les détenus du Bloc cellulaire numéro 1 sont soumis n'a plus tellement d'importance ; ce n'est pas avec des mots que je pourrai convaincre le Solliciteur général du Canada de faire quelque chose. Nous tournons en rond. C'est d'ailleurs la dernière lettre que j'écris sur le sujet, mais que mes camarades d'infortune sachent que je ne les oublie pas. Les journaux leur apprendront bientôt d'ailleurs que je ne fais jamais de vaines promesses.

Richard Blass
dit le *Chat*

Chapitre 6

S'il avait vécu en France ou aux États-Unis, Richard Blass aurait connu la notoriété des Dillinger, Bonny et Clyde, Jesse James, Frank Nitti, Jacques Mesrine, avec lesquels il partageait cette même facilité à donner la mort.

En douze ans d'une carrière criminelle aux nombreux rebondissements, celui que l'on ne désignait plus que par son surnom de *Chat* pour avoir échappé à trois tentatives d'assassinats fut traduit à trente reprises devant les tribunaux et condamné à plus de cent ans de prison pour vingt-trois crimes différents ; de plus, il était soupçonné d'avoir commis pas moins de vingt meurtres.

Ce triste palmarès lui valut de connaître les prisons les plus inhumaines, dont le célèbre Bloc cellulaire numéro 1 du pénitencier de Saint-Vincent-de-Paul, véritables cages pour fauves où Jacques Mesrine lui-même séjourna quelque temps. À l'instar du hors-la-loi français, Richard Blass réussit pourtant trois évasions spectaculaires, toujours suivies «d'actions d'éclats» pour redorer un blason qu'il jugeait terni par sa capture et son retour en cellule.

À bien des égards, rien ne le prédestinait à une carrière aussi tumultueuse, sinon peut-être l'admiration qu'il vouait aux grands noms du crime, sentiment qui l'incitait à collectionner religieusement les coupures de presse rapportant leurs faits d'armes. Petit de taille, beau garçon, il semblait davantage fait pour conquérir les cœurs que pour semer la mort autour de lui. Ses yeux qu'il avait bruns, au regard coquin, lui permirent d'ailleurs de subjuguer bien des femmes qui ne lui refusèrent jamais leur aide, qui le poussaient même, par leur admiration béate, à entreprendre les coups les plus audacieux.

Je fis la connaissance de Richard Blass peu après qu'il eut échappé à un premier attentat contre sa vie. Au lendemain de cet incident, j'avais déclaré sur les ondes qu'il s'était blessé lui-même pour je ne savais quel motif mystérieux, peut-être le désir de faire la une des grands journaux.

Le soir même, j'eus à répondre de cette accusation.

À l'époque où il faisait ses premières armes, Richard Blass avait établi son quartier général dans un bar situé à la périphérie du quartier italien de Montréal, Le Tabouret, détail qui avait son importance, mais que j'ignorais, faute d'avoir sous-estimé l'influence du personnage. Quand le propriétaire des lieux m'avait invité à lui rendre visite, je n'avais fait aucune objection, trop heureux de m'entretenir quelques heures avec lui dans ce repaire de la pègre, un repaire particulièrement intéressant puisque situé à la frontière des territoires de deux bandes rivales, un haut lieu du crime où se côtoyaient, dans une atmosphère empreinte d'hostilité, les *picciotti* de la *Mafia* et les hommes du gang de Richard Blass baptisé la *Bande du Nord*. Pas un instant je ne songeai qu'il pouvait s'agir d'un piège ; encore aujourd'hui, d'ailleurs, j'ignore si le propriétaire avait reçu l'ordre de m'attirer au Tabouret ou même s'il avait agi de son propre chef, pour se mériter la faveur du jeune caïd dont il devait craindre les colères subites. Chose certaine, il m'est difficile de croire que cette invitation, survenant quelques heures après mon intervention en ondes, avait été le fruit du hasard.

En pénétrant au Tabouret, ce soir-là, je remarquai aussitôt la présence de Richard Blass et de son fidèle lieutenant, Robert Allard, attablés au fond de l'établissement. Les deux hommes firent mine de ne pas m'avoir aperçu, mais avant qu'ils ne puissent tourner la tête nos yeux se rencontrèrent, comme s'ils avaient guetté mon arrivée. Cela suffit à m'enlever tout entrain.

Je songeai un instant à rebrousser chemin, mais je ne tenais pas à leur laisser deviner mes sentiments. Avec de tels individus, je savais qu'il valait mieux faire front, jouer d'audace, une qualité qu'ils admiraient entre toutes, même chez un rival. J'agis donc comme si je n'avais rien à craindre d'eux, bien que je n'en fusse pas du tout convaincu ; le regard qu'ils m'avaient jeté à mon entrée m'avait paru suffisamment éloquent pour que je ne conserve aucune illusion sur mes chances de sortir indemne de l'aventure. Je croyais alors que j'aurais droit à une correction ; quelqu'un provoquerait une bagarre et puis, dans la mêlée, je recevrais quelques coups bien placés qui me laisseraient K.-O. sur le sol. L'enquête qui suivrait ne révélerait même pas la présence de Richard Blass sur les lieux ; vingt témoins viendraient jurer qu'il avait passé la soirée à l'autre bout de la ville. Quant aux clients du Tabouret, ils avoueraient ingénument qu'ils n'avaient rien vu.

– Tu as de la visite, dis-je au propriétaire, en prenant place à sa table.

Il suivit mon regard et aperçut le *Chat* qui riait d'une remarque d'un joli brin de fille, accroché à son bras.

– Tiens ! fit-il sans que je puisse déterminer s'il feignait la surprise, je ne l'avais pas vu, celui-là. J'espère qu'il ne fera pas d'histoires ce soir. Quand il est là, je n'ose pas imaginer ce qui peut arriver…

Je me retins de dire ce qui me pesait, préférant auparavant déterminer si je me trouvais en présence d'un ami ou, plutôt, s'il fallait me méfier de lui. S'il ne m'apprenait rien qui vaille, je pourrais en déduire que j'avais été attiré dans un guet-apens. Il serait temps alors de tenter une sortie. Je vidai un premier verre de gin d'un trait pour me donner un peu de courage, mais avant de permettre à mon hôte d'en commander un second je risquai une remarque sur mon article de la veille. Le propriétaire du Tabouret sourit, enchanté du tour que prenait la conversation ; il n'attendait que ce moment pour me faire quelques confidences sur les premiers épisodes de la « petite guerre » que menait Richard Blass à la *Mafia* qui, à cette époque encore, avait la haute main sur tous les rackets florissants dans la métropole canadienne. Aux yeux des *Mafiosi*, tous grands seigneurs, hommes d'affaires prospères et «respectueux des lois», le *Chat* n'était qu'un dur à cuire sans envergure, un tueur astucieux, mais dépourvu d'ambition, à qui ils abandonnaient une maigre part du butin.

Bien plus que la question d'argent, l'attitude des dirigeants de la *Mafia* à son endroit avait incité Richard Blass à la rébellion. Désormais, il faisait cavalier seul, et, pour se venger du mépris des *Mafiosi*, il avait annoncé son projet de leur livrer une lutte sans merci.

Aux premières heures de cette guerre d'escarmouches, Richard Blass s'en tint à des menaces. Il envahissait, en compagnie de deux ou trois de ses hommes, des établissements qu'il savait appartenir à un membre de la *Mafia* pour faire part de son intention d'abattre tous les amis de ces *Messieurs*. Contrairement à son attente peut-être, ses menaces furent prises au sérieux; en guise d'avertissement, deux hommes de la *Bande du Nord* furent abattus à leur sortie d'un cabaret où ils venaient de défier, au nom du *Chat*, un *Mafioso* influent.

Au yeux du propriétaire du Tabouret, Richard Blass ne pourrait soutenir longtemps une lutte aussi insensée; un tueur aurait vite fait de lui régler son compte. D'apprendre les déboires de l'homme dont, pour l'instant, j'avais tout à craindre me rendit ma bonne humeur, à moins que l'alcool n'en fut la cause. J'en étais déjà à mon cinquième verre et suffisamment gris pour manquer de prudence. Une remarque, faite à haute voix, suffit à provoquer la colère de Robert Allard. Il bondit de sa chaise en m'injuriant, mais, contrairement à mon attente, il marcha en direction d'un juke-box situé à proximité du bar. Sa main plongea derrière l'appareil et elle ressortit... armée d'un revolver. Les rares clients attablés au bar détournèrent la tête; d'autres jetèrent une pièce sur le comptoir et quittèrent la place en évitant tout mouvement brusque.

– Tu es un beau salaud, me dit Robert Allard, sa rage à peine contenue, ses yeux brillant d'excitation. J'ai envie de te mettre un peu de plomb dans la tête...

Je sentis le métal froid contre ma tempe.

– … comme cela, la prochaine fois que tu jacasseras à la radio, tes idées seront plus claires.

Il allait tirer… et je n'arrivais pas à croire à la réalité de cette menace. Je ne pouvais admettre surtout, un peu naïvement, qu'on me tienne rigueur d'avoir trop parlé, alors que j'avais seulement laissé entrevoir la vérité, allant même jusqu'à taire certains détails peu honorables pour Richard Blass. Après cela, comment pouvait-il se croire lésé par mes paroles ? Voulait-il se venger parce que j'avais vu clair dans son jeu ? Parce que j'avais fait part publiquement de mes conclusions ? Ou cherchait-il seulement à s'assurer de mon silence, pour une prochaine fois ? S'il avait tenu l'arme lui-même, peut-être aurais-je conservé espoir, mais l'homme qui se tenait à mes côtés n'avait rien d'un être réfléchi, capable de calculs. Un frisson d'épouvante me courut le long de l'échine tandis que la sueur perlait à mon front. Je tremblais de tous mes membres, mais je restai assis, paralysé, incapable de plaider ma cause, de demander grâce, rendu muet par la peur. Le canon de l'arme m'avait meurtri la tempe, mais je n'osais pas bouger pour échapper à la douleur, de peur que mon geste n'incite le tueur à appuyer sur la gâchette. Il devait attendre cet instant, sinon pourquoi tardait-il à faire feu ? Avait-il reçu l'ordre de m'épargner ? Je levai les yeux. Le salaud ! Il souriait ! Avant de m'abattre, il se délectait de ma terreur comme sans doute il s'était réjoui de la peur de Claudette Corbeil, violée puis assassinée sous les yeux de son mari, un truand qui s'était mérité la défaveur de Richard Blass et qui devait avoir les yeux brûlés à l'aide d'un cigare avant d'être étranglé, quelques instants après le supplice de sa jeune épouse. Je haletais, mais cette fois, sous l'effet de la haine. Ma peur avait fait place à une rage froide. Je m'apprêtais à bondir, sachant que je n'avais aucune chance, mais je ne voulais pas mourir avec, dans l'esprit, l'image de ce crasseux, souriant béatement à l'idée de m'avoir réduit à l'impuissance. Un seul coup suffirait. Sous l'effet de la douleur, ses traits se déformeraient ; son sourire s'évanouirait. Il ne resterait plus rien de son assurance. Peut-être chercherait-il par la suite à tirer vengeance de s'être laissé surprendre, mais il serait trop tard. J'espérais même être capable de lui rire au nez pour qu'il ne puisse jamais se glorifier de ma mort, comme il l'avait fait pour celle de tant d'autres.

«Non! mon salaud, me dis-je en le regardant intensément, je ne te supplierai pas.»

Dans le silence qui régnait dans le bar, le déclic de son revolver qu'il armait retentit comme un coup de tonnerre. Michel Marion, un jeune familier de Richard Blass, choisit cet instant pour intervenir.

– Reste tranquille, Allard, dit-il sans élever la voix. Une de ses mains avait disparu sous la table. Pourquoi t'en prendre à Claude; il ne fait que son métier. Fiche-lui la paix. Garde ton numéro pour les Italiens… Je pense que tu en auras besoin bientôt.

Michel Marion ne croyait pas si bien dire.

Le 4 mai 1969, Robert Allard était abattu de douze balles de revolver. Le meurtre avait été exécuté en pleine rue : il était l'œuvre de deux tueurs agissant sous les ordres d'un homme dont le nom avait souvent été cité en rapport avec les activités de la *Mafia*.

J'avais eu très peur, mais Richard Blass ne me tenait pas quitte pour autant de la «dette d'honneur» que j'avais contractée à son égard. Il fit une seconde tentative pour me réduire au silence moins de trois semaines après l'incident survenu au Tabouret. Cette fois, il m'attendait, vers 3 heures du matin, à proximité du domicile de mes parents, dans un quartier paisible de la banlieue. Je venais de fermer la portière de mon véhicule quand je le vis, confortablement appuyé sur sa voiture où deux individus avaient pris place. Dès qu'ils m'aperçurent, ils vinrent rejoindre Richard Blass qui marchait maintenant en ma direction.

– Comment vas-tu, mon cher Claude? me demanda-t-il d'un ton enjoué.

– Bien ! trouvai-je seulement à dire en regardant les fenêtres de la maison.

Les rideaux restaient hermétiquement clos. Ma mère ne m'avait sans doute pas attendu, comme je le lui avais conseillé. Pourtant, habituellement, elle ne manquait jamais de venir à la fenêtre en entendant le bruit d'une voiture. Malgré mon âge, elle avait conservé l'habitude de ne dormir que d'un œil tant et aussi longtemps que je n'étais pas rentré. Et cette nuit, pour une des rares fois, elle rompait avec la tradition.

– Viens ! Nous allons faire une balade en voiture, me dit Blass.

– Et pourquoi donc ?

– Il faut que je te parle.

– Nous pouvons très bien parler ici…

Richard Blass tendit la main pour m'empoigner, mais les phares d'une auto illuminèrent le terrain de stationnement. Il suspendit son geste ; son visage marqua d'abord de la stupeur, puis une certaine crainte. Une autopatrouille de la police roulait lentement vers nous. Un agent sortit la tête de la voiture.

– Tout va bien, M. Poirier ?

– Oh ! oui, dis-je. Mais attendez, j'ai quelque chose à vous demander.

Je serrai la main de Richard Blass qui ne comprit pas, en premier lieu, la raison de ce geste. Peut-être croyait-il que j'allais renseigner les policiers sur la raison de sa présence à proximité de mon domicile, à une heure aussi tardive. Quand il découvrit que je jouais la comédie pour ne pas alerter davantage les policiers, qu'en somme je n'avais nullement l'intention de le dénoncer, il sourit.

– J'espère te revoir prochainement, me confia-t-il avant de regagner sa voiture. On prendra un peu de temps pour faire connaissance. Dans le fond, tu n'es peut-être pas un mauvais gars.

Malgré cette promesse, il me fallut attendre plusieurs mois avant d'avoir de ses nouvelles. Ses ennuis avec la police et la guerre avec les *Mafiosi* l'obligeaient à se terrer dans quelque retraite connue de ses seuls intimes. Une jeune femme qui m'avait appelé à la station de radio prétendait connaître ce refuge. Elle me confia l'adresse d'une résidence située dans le nord de la ville avant de m'inviter à transmettre ce renseignement aà la police.

– Qui êtes-vous, d'abord ? lui demandai-je.

– Je ne peux pas vous le dire ; j'ai trop peur pour ma vie… Si Richard l'apprenait, il me ferait tuer sûrement.

– Pourquoi ne vous êtes-vous pas adressée directement aux policiers ? Après tout, ce sont eux que cela regarde. Ils vous protégeront.

– Je n'ai confiance qu'en vous ! répondit-elle, mais sa voix manquait de conviction.

– C'est très joli, tout ça, dis-je, mais je ne peux pas vous aider. Qui croyez-vous que je suis : un indicateur de la police ?

Je raccrochai sans lui laisser le temps de s'expliquer ; peut-être me rappellerait-elle pour me jouer la grande scène, mais je me ferais porter absent pour couper court à toutes discussions. Aurait-elle pleuré toutes les larmes de son corps que jamais je n'aurais accepté de lui venir en aide dans cette entreprise, d'autant plus que je n'étais nullement certain de sa sincérité. Aurait-elle été sincère que ma réponse eût été la même. À tort ou à raison, je me sentais lié par une sorte de secret professionnel.

Deux jours plus tard, je devais apprendre que mes soupçons étaient justifiés ; la jeune femme qui m'avait révélé la retraite de Richard Blass figurait au nombre de ses conquêtes. Elle avait reçu l'ordre de me tendre un piège destiné à établir vers qui allaient mes sympathies. Richard Blass n'en savait encore rien mais, chose certaine, la réponse que j'avais faite à la jeune femme lui avait donné toute satisfaction et, chose plus importante à ses yeux, personne ne s'était présenté à l'adresse indiquée qu'il surveillait d'une maison voisine.

– Si les *bœufs* avaient envahi le secteur, m'avoua-t-il avec sérieux, tu étais un homme mort.

– Qui te dit qu'ils ne sont pas venus après ton départ ? dis-je, offusqué de son manque de confiance. À ta place, je ne prendrais pas le risque de me parler plus longtemps.

Loin de le désarmer, ma réplique l'incita à me faire une nouvelle confidence.

– J'ai attendu la visite des *bœufs* jusqu'à 5 heures du matin. Robert Allard était certain que tu nous avais trahis ; il ne voulait pas aller se coucher. J'avais beau lui dire que c'était inutile, il ne voulait pas démordre de son idée. Je pense qu'il ne t'aime pas beaucoup.

– Toi non plus, si j'en juge par ton attitude à mon égard.

– C'était avant… Maintenant je sais que je peux te faire confiance. À la première occasion, je te ferai signe…

Cette fois, il tint parole.

C'était peu de temps après qu'il eut échappé de justesse à une troisième tentative de meurtre. Il me fixa rendez-vous un samedi après-midi, dans les locaux de l'hebdomadaire *Dimanche-Matin* auquel je collaborais, pour me donner un compte rendu détaillé de l'agression dont il avait été victime. Son témoignage en soi ne manquait pas d'intérêt ; la police elle-même, faute de renseignements, s'était montrée peu bavarde sur les circonstances entourant l'affaire, et une meute de journalistes pourchassait les familiers du jeune chef de la *Bande du Nord* pour en apprendre davantage. À mes yeux, toutefois, la visite même de Richard Blass présentait un plus grand intérêt puisqu'elle me permettait de me faire une meilleure idée de l'individu.

Malgré ce que je savais de lui, je n'arrivais pas encore à croire en sa «légende» ; je ne pouvais surtout pas croire qu'un homme puisse tuer sans remords, sans ressentir la moindre culpabilité… à moins d'être fou. Richard Blass, pourtant, ne m'avait jamais donné cette impression ; personne non plus n'avait osé se prononcer d'une façon péremptoire sur son état mental. Ou bien il s'était vanté de crimes imaginaires, ou bien il échappait à la règle commune. Chose certaine, j'allais être bientôt fixé sur son compte.

Le décorum dont il entoura sa visite ne manqua pas de stupéfier la rédaction du journal, témoin de la rèncontre.

À l'heure dite, un inconnu me demandait à la réception tout en refusant de révéler son identité. Quand je l'eus rejoint au premier étage, je le reconnus aussitôt ; il s'agissait d'un des gardes du corps de Richard Blass. Il était armé et ne cherchait nullement à le dissimuler. Son veston était entrouvert, laissant voir son revolver, un colt Cobra à crosse nickelée, glissé dans sa ceinture.

– Je peux monter ? dit-il.

Et sans attendre mon invitation, il gravit les marches de l'escalier quatre à quatre pour gagner le second.

– Où est la sortie de secours ?

– Ici, fis-je en montrant une porte dérobée.

– Elle conduit…

– … au terrain de stationnement.

Il sortit, apparemment satisfait de sa visite. Je le suivis du regard par la fenêtre de la rédaction. Deux hommes l'attendaient dans la cour, près d'une voiture.

– Qui est ce type ? me demanda un jeune reporter ambitieux, depuis peu à l'emploi de la section des faits divers du journal. Il ne me dit rien qui vaille. Tu as vu : il était armé !

– Oui ! c'est un des hommes de Blass, mais je ne me souviens pas de son nom.

– Blass est là ? me dit-il anxieusement.

– Je le crois ; j'ai rendez-vous avec lui.

Ses traits s'étaient décomposés ; sa figure avait perdu toute couleur.

– Ici… au journal… et c'est maintenant que tu me le dis. Tu veux avoir ma mort sur la conscience ou quoi ? Si Blass me trouve ici, je peux dire mes prières tout de suite.

Sans doute avait-il écrit lui aussi un article qui avait déplu, mais je ne fis rien pour le rassurer. J'avais peu de sympathie pour le personnage ; il était de cette sorte de journalistes qui ne reculent devant rien pour obtenir de la «copie». À ses débuts, par exemple, il s'était présenté à la résidence d'une jeune femme dont le mari venait tout juste d'être tué dans un accident d'autos ; se faisant passer pour un policier, il avait annoncé la triste nouvelle avant d'exiger de l'épouse une photo de la victime pour faciliter son identification. Depuis lors, jamais il ne manquait de rappeler cet «exploit» qui lui avait valu d'ailleurs une promotion rapide au titre de casse-cou de la

maison, titre dont il n'était pas peu fier. Son absence de scru-
pules, bien plus que sa suffisance, m'irritait, mais j'avais
toujours évité les affrontements, sachant que rien apparemment ne pouvait le toucher. J'avais eu tort toutefois de le croire
insensible. À l'annonce de la venue du *Chat*, il avait perdu
toute sa superbe ; lui, habituellement si sûr de lui, toujours
prompt à se vanter de son dernier coup, me priait maintenant
d'intervenir en sa faveur. Sa détresse avait quelque chose de
comique. Il allait de la fenêtre à son bureau, cueillant des
papiers au passage, puis les abandonnant avant de courir à
nouveau à la fenêtre pour voir si sa « victime » approchait,
répétant sans cesse : « Tu aurais dû me le dire… »

– Il arrive, dis-je simplement.

Il quitta la salle de rédaction en coup de vent.

Richard Blass quittait effectivement sa voiture, tandis que
son garde du corps reprenait place au volant, une mitraillette
sur les genoux. Son coéquipier traversa la chaussée où une
deuxième voiture appartenant à la bande avait été stationnée
devant l'entrée du journal. Richard Blass n'avait rien épargné
pour que notre rencontre se déroule en toute tranquillité. J'allai
l'accueillir, un photographe sur les talons. Dès que le *Chat* fit
son apparition, mon confrère voulut prendre une première
photo. Je posai la main sur sa lentille :

– Attends qu'il t'en donne la permission, lui dis-je.

J'avais aperçu les deux revolvers de calibre .45 passés à sa
ceinture.

– Tu devrais peut-être boutonner ton veston, dis-je cette
fois à Richard Blass.

– Et pourquoi donc ? Je ne suis pas à ton goût ? Il faut
m'excuser si j'ai gardé mes vêtements de travail….

– En voyant cette photo dans le journal, les policiers ne
manqueront pas de porter contre toi une accusation de port
d'arme prohibé et je ne tiens pas particulièrement à me rendre
en cour.

– Encore faudrait-il qu'ils me mettent la main au collet. On
n'attrape pas aussi facilement le *Chat* ; les Italiens en savent
quelque chose.

Au souvenir de l'incident qui s'était déroulé une semaine plus tôt, Richard Blass sourit.

– Il y a un endroit où on peut causer en paix ? Ton gars pourra faire ses photos après…

Je voulais tout savoir de cette tentative de meurtre, surtout les noms des tueurs pour connaître l'importance que la *Mafia* accordait au jeune chef de la *Bande du Nord*.

– Pas de noms… de toute façon, ils seront bientôt gravés sur une pierre tombale. Mais je peux te dire qu'ils étaient deux.

Le commando l'avait repéré dans une brasserie d'une rue commerçante, peu avant la fermeture des magasins.

– Je savais qu'ils venaient pour moi ; c'était écrit sur leur visage. Et manque de chance, j'avais laissé ma *quincaillerie* à la maison.

Des clients qui sortaient du bar avaient empêché les *Mafiosi* de faire feu ; Richard Blass avait su tirer parti de cette heureuse diversion pour filer par la porte arrière, mais les tueurs, malgré le risque, s'étaient lancés à ses trousses.

– La rue était noire de monde ; je devais bousculer les passants pour me frayer un chemin et puis les deux zigotos ont commencé à tirer.

Un vent de panique avait soufflé sur la foule. Le fuyard se laissa porter par le flot des passants atterrés jusqu'au seuil d'une boutique où il put trouver refuge sans être vu.

– J'ai couru vers l'arrière-boutique pour fuir par la porte de secours, mais la malchance me poursuivait ; la porte était cadenassée. Ne me demande pas ce à quoi je pensais alors ; j'avais la tête vide. L'instinct avait pris le dessus.

Contrairement à toute attente, il était revenu sur ses pas plutôt que de se terrer au fond du magasin sous les yeux stupéfaits d'un jeune employé.

– Ne te dérange pas pour moi, lui ai-je dit ; deux gars veulent ma peau, mais dis-leur, s'ils viennent, qu'elle n'est pas à vendre.

Les tueurs n'avaient toujours pas quitté les lieux. La rue s'était vidée en un éclair, mais ils cherchaient toujours à repérer Richard Blass parmi les retardataires.

– J'ai marché vers eux. D'abord, ils ont semblé ne pas me reconnaître ; ils étaient paralysés. Puis, ils ont réalisé qu'ils me tenaient enfin à la portée de leur arme. Une balle m'a frôlé, mais j'étais loin déjà.

Blass poursuivit la narration des événements qu'il avait vécus, mais je n'écoutais plus. J'étais fasciné, littéralement envoûté par le personnage que l'atmosphère paisible de mon bureau et mon intérêt apparent avaient mis en verve. Tout en faisant mine de suivre son récit, maintenant ponctué de menaces adressées aux Italiens, je cherchais vainement une faille qui aurait pu tout expliquer : les *braquages* audacieux, les meurtres apparemment gratuits, les sévices appliqués à ses victimes, etc. Certes, il n'avait pas connu son père ; son amour pour sa mère était excessif ; il était bavard, prétentieux, prompt à la colère, mais fou, non ! En lui semblait sommeiller des forces prêtes à se déchaîner. C'était comme si j'avais été en présence d'un fauve. Oui ! Richard Blass avait tout de la bête de proie, du grand carnassier, la même avidité, la même soif de vie.

En le quittant ce jour-là, je ne sais trop pourquoi, je lui recommandai la plus grande prudence. J'avais fait cette mise en garde sans trop réfléchir, mais quand j'eus le courage de m'interroger sur les sentiments que je portais à Richard Blass, je dus convenir qu'au fond de moi, malgré ses instincts sanguinaires, je faisais vraiment le vœu qu'il survive… Sa lutte était vaine, insensée ; ce combat qu'il menait contre je ne sais quel moulin à vent était pitoyable, mais je lui trouvais mille excuses.

Au fond, peut-être à cette époque enviais-je secrètement chez lui son refus absurde de respecter la règle du jeu…

Je revis Richard Blass encore deux fois, au cours de brèves rencontres, mais il n'était plus ce jeune chef de bande, un peu tapageur, cherchant noise au premier venu. Depuis notre premier rendez-vous, il était devenu l'ennemi public numéro 1 ; tous les services policiers du pays étaient à sa recherche. Le grand public se passionnait maintenant pour ses frasques, surtout depuis son évasion du pénitencier de Saint-Vincent-de-Paul le 19 juin 1974, en compagnie de Pierre Vincent, de Jacques Massey et d'un certain Edgar Roussel.

En rééditant l'exploit du célèbre Jacques Mesrine, le *Chat* pouvait désormais prétendre au titre de passe-muraille, d'autant plus qu'il avait déjà réussi, en octobre 1969, une première évasion d'un fourgon cellulaire, en entraînant à sa suite huit de ses amis. Capturé peu après, à la suite d'une spectaculaire chasse à l'homme, sa comparution en cour avait créé un nouvel émoi, un policier ayant découvert un revolver sous le siège qu'il devait occuper quelques minutes plus tard.

Sa seconde évasion ne dura guère plus longtemps que la première. Deux jours après, alors qu'il vivait terré en compagnie d'une jeune femme dont le frère s'était rendu coupable du meurtre d'un policier, il était repris devant les caméras de la télévision. Une brigade de choc, composée des meilleurs agents des services de la police de Montréal, désignée sous le nom évocateur d'*escouade de frappe*, était montée à l'assaut de son refuge, croyant qu'il ne se livrerait pas sans avoir opposé une violente résistance, a l'exemple de ses complices Vincent, Massey et Roussel, repris la veille. Pourtant, Richard Blass n'avait pas tiré un seul coup de feu.

De nouveau incarcéré au Bloc cellulaire numéro 1, section du pénitencier de Saint-Vincent-de-Paul réservée aux prisonniers dangereux ou passés maîtres dans l'art de l'évasion, Richard Blass me fit parvenir clandestinement un message où il faisait état, à mots couverts, de ses projets d'évasion. J'eus peine à le croire, mais c'était bien mal connaître l'individu.

En octobre de la même année, quatre mois seulement après sa capture, il s'évadait de nouveau.

Cette fois encore, Roussel et Vincent étaient de la partie, mais deux autres individus s'étaient joints au groupe : Armand Frappier et Jean-Paul Mercier, ex-lieutenant du bandit français Jacques Mesrine.

Le coup avait été préparé de longue date, grâce à la complicité de deux jeunes femmes, l'une, amie de Pierre

Vincent et barmaid dans un des cabarets favoris de Richard Blass, et l'autre, Jocelyne Deraîche, la compagne de Jacques Mesrine.

À l'heure des visites, le 23 octobre 1974, elles avaient fait demander au parloir Mercier et Vincent. Roussel et Frappier s'y trouvaient déjà, ainsi que Richard Blass qui, ce jour-là, recevait la visite de son propre fils, à l'occasion de son neuvième anniversaire de naissance.

Profitant d'un moment d'inattention des gardiens, une des jeunes femmes avait brisé une vitre isolant les détenus et balancé par l'ouverture un sac à main contenant trois revolvers. Les bagnards s'étaient frayé par la suite un chemin jusqu'à la sortie où une puissante voiture les attendait, moteur en marche.

Chapitre 7

Pour éviter d'être repérés, les fugitifs s'étaient scindés en deux groupes, selon leurs affinités. Richard Blass avait disparu en compagnie d'Edgar Roussel; Mercier avait entraîné à sa suite Pierre Vincent et Armand Frappier.

Je connaissais moins Jean-Paul Mercier, sauf pour l'avoir rencontré, par hasard, lors de sa première évasion en compagnie de Jacques Mesrine.

Cette rencontre s'était déroulée dans... la salle de toilettes d'un restaurant huppé de Montréal. J'allais quitter la pièce quand un individu dont les traits m'étaient familiers avait fait son apparition. Nous nous étions regardés l'un et l'autre avant que l'inconnu ne se décide à parler :

– Salut, Claude! Tu sais qui je suis...

– Je pense le savoir!

– Jean-Paul! dit-il en souriant, nullement inquiet de se trouver dans un endroit public alors que des centaines de policiers étaient à sa recherche.

– Je suis avec le *Français*. Nous dînons avec des amies. Tu viens? Je vais te présenter à tout le monde.

– Si cela ne te fait rien, je préfère rester ici.

– Dans la salle de toilettes? Et pourquoi donc?

– Si les *bœufs* font irruption dans la place, je ne tiens pas à ce que vous croyiez que je vous ai balancés.

J'avais fumé trois cigarettes avant de risquer un œil dans la salle; comme Jacques Mesrine et Jean-Paul Mercier avaient filé, j'avais pu rejoindre ma compagne qui ne voulut jamais admettre les raisons de ma longue absence.

Malgré le ridicule de la situation, j'avais pourtant agi avec sagesse. Jean-Paul Mercier n'était pas homme à peser ses gestes. Ses traits angéliques, son sourire charmeur, son regard dénué de malice n'étaient qu'un leurre; tout son passé témoignait de sa véritable nature, un passé consacré à la violence. Meurtres, vols à main armée, vols avec violence qui lui avaient valu, entre le 10 janvier 1966 et le 23 octobre 1974, date où il s'était évadé pour la quatrième fois, des peines représentant 173 ans, huit mois et trois jours de prison, sans compter une double peine d'emprisonnement à perpétuité.

Mais contrairement à Richard Blass qui, comme lui, ne pouvait guère accepter l'idée de finir ses jours dans une cellule, Jean-Paul Mercier avait juré de n'être pas repris vivant. Des lors, sitôt connue son évasion du pénitencier de Saint-Vincent-de-Paul, la Brigade de choc fut mise sur un pied d'alerte.

L'attente se prolongea huit jours.

Pendant cette période, selon la version officielle donnée aux membres de la presse, les policiers n'auraient rien su de la retraite du fugitif. Ils auraient ignoré également s'il avait choisi de quitter ses complices ou d'offrir asile à un ou plusieurs membres de la bande. Comment expliquer alors la présence de la Brigade de choc, le 31 octobre 1974, devant une succursale de la Banque Royale du Canada à l'heure même où Jean-Paul Mercier, Pierre Vincent et Armand Frappier faisaient main basse sur le contenu des tiroirs-caisses.

Selon toute vraisemblance, le trio avait depuis longtemps été repéré; les policiers devaient même exercer une surveillance constante de leur repaire, attendant l'occasion propice pour faire appel aux troupes d'assaut de la Brigade de choc.

Cette « occasion » ne s'était pas présentée avant le 31 octobre, alors que les fuyards pénétraient dans la succursale bancaire d'un centre commercial.

Aussitôt, une vingtaine d'agents furent dépêchés sur les lieux pour cerner la place. Jean-Paul Mercier déjoua toutefois leurs plans. Au moment le plus inattendu, il sortit de la banque, le visage à découvert, tenant une carabine M I.

Les policiers, pris de court, tentèrent de regagner leur position, mais le jeune caïd repéra les retardataires. Il donna l'alerte à ses complices.

Tandis que Pierre Vincent s'engouffrait dans un magasin proche de la banque pour fuir par la porte arrière avec le butin, Jean-Paul Mercier et Armand Frappier coururent, sous un feu nourri, vers une automobile de marque Ford LTD. Avant de démarrer en trombe, Jean-Paul Mercier riposta, atteignant un passant à la gorge.

La Brigade de choc concentra alors son tir sur le véhicule en fuite ; les balles percèrent de toutes parts la carrosserie, touchèrent même les pneus. Armand Frappier, au volant, en perdit la maîtrise. La Ford grimpa sur le trottoir, effleura un poteau avant d'aller heurter deux automobiles stationnées devant une quincaillerie. Son M I en bandoulière, un revolver de calibre .45 à la main, Jean-Paul Mercier tenta une sortie pour se réfugier à l'intérieur de la boutique, mais une première balle l'atteignit à la jambe, puis une seconde, à la tête. Des policiers approchèrent ; il était assis, le dos appuyé à la devanture de la quincaillerie, ses armes à la main, mais incapable de riposter. Son visage était couvert de sang.

Armand Frappier, pour sa part, avait choisi de fuir en terrain découvert. Sur sa route, il croisa un agent qu'une fausse manœuvre avait fait trébucher. L'occasion était belle ; il visa sa victime, puis tira… Pourtant, rien ne se produisit ; son arme était vide. La riposte fut brutale. Touché aux jambes, Armand Frappier devait être finalement renversé par une autopatrouille lancée à ses trousses.

En l'espace de quelques secondes, plus de 200 balles avaient été tirées et Jean-Paul Mercier n'avait pas été repris vivant…

Avant qu'il ne soit abattu, les journalistes avaient été longtemps sans nouvelles de Jean-Paul Mercier ; l'un de ses compagnons d'évasion s'était montré moins discret. Peu après une fête donnée à l'occasion de sa «libération», Richard Blass s'était lancé dans une vaste campagne de dénonciation des conditions d'internement au Bloc cellulaire numéro 1 pour venir en aide à ses anciens camarades d'infortune, campagne agrémentée d'un ultimatum adressé aux plus hautes instances du pouvoir en matière pénale, le Solliciteur général du Canada, Me Warren Allmand.

Richard Blass me fit part de son projet au cours d'un bref appel téléphonique. Deux jours après son évasion, il avait d'ailleurs fait déposer à mon intention, dans la salle de toilettes des dames d'une station d'autocars, un premier communiqué où il exposait ses doléances.

Sitôt après avoir quitté Richard Blass au téléphone, je demandai à la jeune secrétaire de se rendre au terminus pour récupérer le message. Malgré une fouille minutieuse de l'endroit, elle fut incapable de trouver trace de la lettre. Quelqu'un l'avait précédée dans la salle de toilettes, sans doute la police qui devait avoir, grâce à l'écoute électronique, surpris ma conversation avec Richard Blass. S'il en était ainsi, sa retraite devait être connue, à moins que les agents n'eussent placé ma propre ligne téléphonique sous surveillance. Je fis donc répondre désormais au téléphone que j'étais absent de la station de radio.

Sans doute inquiet de mon silence, Richard Blass fit parvenir une copie du communiqué à son propre avocat, Me Frank Shoofey.

Le jeune ténor du barreau convoqua, sur-le-champ, une conférence de presse pour dévoiler avec éclat le contenu de cette lettre.

Avec la collaboration d'Edgar Roussel, déclarait Blass, j'ai écrit une longue lettre à Claude Poirier mais, pour des raisons que j'ignore, il n'a pas pu en prendre possession.

Cette lettre contenait un message adressé tout particulièrement à Warren Allmand, où nous dénoncions les conditions inhumaines de détention au Bloc cellulaire numéro 1.

À nouveau donc, nous demandons au Solliciteur général du Canada qu'il accorde aux journalistes la permission de visiter ce quartier de détention. Jusqu'à maintenant, il a fait la sourde oreille aux plaintes qui lui sont parvenues, mais cette fois, si rien n'est fait, si les journalistes n'obtiennent pas la permission de visiter le Bloc cellulaire numéro 1, si les conditions de détention n'y sont pas améliorées, nous prendrons les mesures qui s'imposent.

Nos façons d'agir ne lui plairont certainement pas, car nous sommes prêts à tout pour aider ceux qui vivent dans cette usine à fabriquer des monstres.

Pendant quatre mois, nous avons cru qu'un appel aux médias d'information suffirait pour convaincre Me Warren Allmand de porter une attention particulière à nos revendications; nous avons obtenu l'effet contraire. Pire, on s'est moqué de nous. Aujourd'hui, la situation n'est plus la même.

Nous sommes désormais en position d'agir pour nous faire entendre. S'il faut que nous passions aux actes, s'il faut que nous fassions couler du sang pour convaincre le Solliciteur général de notre sérieux, il pourra alors mieux mesurer l'influence de sa triste usine sur notre comportement. Et si nous entreprenons cette tâche, aucun appel à la raison, aucune promesse d'amélioration ou de changement des conditions de détention ne pourra nous empêcher d'aller jusqu'au bout. Warren Allmand n'aura alors qu'à s'en prendre à lui-même pour avoir sous-estimé le sérieux de cet ultimatum.

Après tout ce que nous avons dû subir pendant les quatre derniers mois de notre incarcération au Bloc cellulaire numéro 1, rien ne nous ferait plus plaisir que d'avoir à faire sauter quelques cervelles. Combien? Nous n'en savons encore rien, mais nous pouvons prendre goût à ces tueries. D'ailleurs, au prix où se vendent les balles, nous pouvons nous permettre d'expédier dans l'autre monde quelques bonshommes et même, sans économiser le plomb.

Blass terminait sa lettre en invitant le Solliciteur général du Canada à faire preuve de diligence car, ajoutait-il, «*notre patience est à bout*», puis il s'excusait auprès du juge qui devait présider son procès comme criminel d'habitude, procès remis en raison de son «*absence*».

«*Nous deviendrons certainement les deux plus grands tueurs que Montréal aura connus si rien n'est fait pour améliorer le sort des détenus du Bloc cellulaire numéro 1*», concluait-il avant de signer: *Beau-Chat* et *Beau-Ti-Mé*, surnom d'Edgar Roussel.

Cette lettre, largement diffusée, fit l'effet d'une bombe. Au parlement canadien, des députés de l'Opposition soumirent Mᵉ Warren Allmand à un tir de barrage, exigeant que des mesures énergiques soient prises pour que prenne fin cette farce tragique où un criminel pouvait défier la loi et soumettre les autorités à un chantage odieux. Plusieurs membres du gouvernement partageaient également ce sentiment, mais le Solliciteur général du Canada refusa d'adopter la «ligne dure», suivant en cela les recommandations de ses plus proches conseillers. Il autorisa même des journalistes, triés sur le volet, à pénétrer dans le quartier du pénitencier de Saint-Vincent-de-Paul réservé aux plus dangereux criminels. Cette décision, violemment critiquée, témoignait pourtant d'une grande habileté. En cédant apparemment à la première exigence de Richard Blass, le Solliciteur général du Canada pouvait démontrer sa bonne foi, «prouver» qu'il n'avait rien à cacher; de plus, il gagnait un temps précieux, suffisant peut-être pour permettre aux policiers de découvrir la retraite du fugitif.

Devant les caméras de la télévision, Mᵉ Allmand affichait un flegme typiquement anglais, mais quand je le rencontrai dans l'intimité de son bureau, peu après l'annonce de sa décision, je vis bien, à sa nervosité, qu'il prenait très au sérieux les menaces de Richard Blass, d'autant plus que, le matin même de notre entretien, un journal à fort tirage avait publié en première page une photographie que le *Chat* lui avait fait parvenir, le montrant armé de pied en cap, une carabine M I, dans la main droite, deux revolvers, l'un, dans la main gauche, l'autre dans un étui passé à son cou.

Toutefois, malgré l'importance qui lui était accordée dans les journaux, Richard Blass fut déçu des résultats de sa campagne tapageuse. À la suite de la conférence de presse tenue au

Bloc cellulaire numéro 1, il me fit parvenir une lettre où il faisait part de son amertume.

Je tiens à remercier tous les journalistes qui ont bien voulu se rendre au pénitencier pour cette visite à la fabrique de monstres. Ils n'ignoraient rien des conditions de détention au Bloc cellulaire numéro 1, mais peut-être, d'avoir vu de leurs propres yeux, pourront-ils désormais mieux comprendre ceux qui refusent de terminer leurs jours dans cet enfer, à la merci de véritables bourreaux.

Mais qu'est-il survenu après leur visite ?

Le silence...

Croyez-vous que j'oublie aussi vite ? Croyez-vous que je sois homme à ne pas tenir mes engagements ? Warren Allmand n'a pas fait le moindre geste depuis ; j'ai agi de même. Qui, le premier, posera le premier geste ?...

Bientôt, nous nous réjouirons tous à l'occasion de Noël, mais je sais que des camarades seront tristes, que leur sort, au fond des cachots du Bloc cellulaire numéro 1, où ils se consument à petit feu, dépend de la réussite de mon entreprise. Je ne tiens pas à poser le premier geste, mais je le ferai s'il le faut parce que je crois avoir raison.

[...]

Que je décrive sur une ou vingt pages les traitements auxquels les détenus du Bloc cellulaire numéro 1 sont soumis n'a plus tellement d'importance ; ce n'est pas avec des mots que je pourrai convaincre le Solliciteur général de faire quelque chose. Nous tournons en rond. C'est d'ailleurs la dernière lettre que j'écris sur le sujet, mais que mes camarades d'infortune sachent que je ne les oublie pas. Les journaux leur apprendront d'ailleurs bientôt que je ne fais jamais de vaines promesses.

Encore une fois, merci aux journalistes ; bientôt, je leur fournirai de la bonne copie.

Je lus et relus cette lettre, la dernière qu'il écrivit avant d'entreprendre une sorte de croisade dans les bas-fonds de la ville, afin d'assouvir sa soif de vengeance. L'échec qu'il avait subi hantait son esprit ; je le vis bien au ton de sa lettre où la colère avait fait place à l'amertume. Qu'allait-on dire de lui, désormais, parmi les siens, ceux du *Milieu*, dont l'opinion seule comptait à ses yeux ? Qu'il était de cette sorte d'hommes dont on peut se jouer, dont on peut rire impunément de leurs menaces, un fort en gueule, tout juste bon à fouler aux pieds ! Cela, Richard Blass ne pouvait l'accepter, lui qui, mieux que personne, connaissait la dure loi qui régit l'univers des forçats. Trop d'hommes avaient eu à souffrir de sa tyrannie ; sa déchéance entraînerait sa mort.

Puis, soudain, je frissonnai en me souvenant de la dernière phrase de sa lettre.

«… Merci aux journalistes ; bientôt, je leur fournirai de la bonne copie.»

Le 30 octobre 1974, Richard Blass et Edgar Roussel firent irruption au bar Le Gargantua, ancien repaire de la *Bande du Nord*. Le *Chat*, un revolver dans chaque main, se dirigea vers la caisse, tandis que son compagnon, armé d'une carabine, prenait position près de l'entrée pour surveiller la salle.

Le gérant de l'établissement crut d'abord que les deux hommes voulaient s'emparer de la recette de la journée, mais Richard Blass obliqua, au dernier moment, en direction d'une table où deux ex-comparses avaient pris place. Un ivrogne choisit cet instant pour quitter la salle de toilettes. Il traversa le bar sans remarquer l'étrange silence qui avait envahi les lieux, avant de s'interposer entre Richard Blass et les deux hommes qu'il tenait en respect.

— Fiche le camp, lui dit le *Chat* qui se contenait avec peine.

— Et pourquoi donc ? rétorqua l'ivrogne d'une voix avinée.

Mais il ne put en dire plus. Un coup de crosse l'avait jeté face contre terre avant qu'un premier coup de feu n'éclate.

— Tire-les dans la tête, hurlait Edgar Roussel qui n'avait pas quitté son poste, tandis que Richard Blass faisait feu sur ses deux anciens compagnons d'armes.

– Tu m'as fait moisir en prison trop longtemps ; il est temps que tu paies ta dette, dit-il à l'une de ses victimes avant de l'achever de quatre balles dans la tête.

Son compagnon subit le même sort.

À l'annonce de ce double meurtre, je ne fus guère surpris ; depuis longtemps, Blass avait juré d'abattre l'homme qu'il tenait pour responsable de sa capture, à la suite de sa première évasion. Il pouvait donc désormais se tenir pour satisfait. Son honneur était sauf. Personne n'oserait plus lui reprocher de menacer en vain.

Richard Blass pourtant passa de nouveau à l'action, moins de deux mois après cette première tuerie. Il s'en prit cette fois à deux jeunes frères, spécialistes du vol à main armée, avec lesquels il devait célébrer Noël. Malgré une enquête approfondie, je ne pus m'expliquer leur assassinat. J'ignorais alors que Richard Blass tuait désormais sans motif, par simple goût du meurtre. Dans les couloirs du quartier général de la police de Montréal, on évoquait cette hypothèse, mais elle m'apparaissait sans fondement jusqu'à ce que les événements viennent me donner tort.

Le 21 janvier 1975, peu après minuit, un jeune pompier demandé sur les lieux d'un incendie qui avait partiellement détruit Le Gargantua découvrait un premier cadavre dans un réduit situé à l'arrière de l'établissement.

La présence d'un juke-box dissimulant partiellement la porte du cagibi pourtant munie d'un cadenas avait intrigué le sapeur ; avec l'aide d'un officier, il avait dégagé l'entrée du réduit pour pénétrer à l'intérieur, muni d'une lampe de poche. Malgré la fumée, il avait aussitôt aperçu un premier corps, puis un deuxième, un troisième, un quatrième… treize cadavres au total, jetés pêle-mêle, entassés les uns sur les autres.

Au nombre des victimes, le gérant du Gargantua, Réjean Fortin, ex-policier de Montréal, embauché peu après le double meurtre de Richard Blass. Il avait été tué d'une balle au cœur. Son ami, Pierre Lamarche, avait été atteint d'un projectile de même calibre, mais la blessure était sans gravité. Il avait succombé à l'asphyxie comme les autres victimes, des clients pour la plupart, à l'exception de deux femmes, une serveuse de l'établissement et l'épouse même de Réjean Fortin.

J'appris dès le lendemain que Richard Blass pouvait être relié au massacre du Gargantua. Le nom d'un certain Fernand Beaudet, ami du *Chat*, fut également prononcé, mais je ne pus en apprendre davantage avant la tenue de l'enquête publique sur les circonstances entourant l'affaire. Le procureur de la Couronne y produisit la transcription d'une conversation entre le jeune ami de Richard Blass et sa sœur Jacqueline, conversation particulièrement accablante, captée le jour même de la tuerie.

F. B. — Ah! Tu as appris ce qui est arrivé ce matin.

J. B. — Oui! J'ai vu les journaux.

F. B. — Ah bon! (rires)

J. B. — Ce n'est pas toi, par hasard?

F. B. — Bien oui!

J. B. — Ne me dis pas!

F. B. — (rires)

J. B. — N'en dis rien à maman.

F. B. — Bien non!

J. B. — Elle est déjà assez inquiète comme cela.

[...]

Malgré cette conversation et bien d'autres, tenues entre des comparses de Richard Blass, ni lui ni Fernand Beaudet ne purent être reconnus coupables pour le massacre du Gargantua. Les enquêteurs juraient pourtant que les deux hommes avaient fait leur entrée, vers minuit, au cabaret. Des amis de Richard Blass l'avaient salué mais, d'un geste de la main, il leur avait ordonné de quitter les lieux avant d'obliger les autres personnes présentes à s'entasser dans le cagibi. Le cadenas mis en place, le juke-box appuyé contre la porte, le *Chat* avait alors allumé deux foyers d'incendie.

Réjean Fortin, le premier, avait compris ce qui les attendait tous s'ils ne réagissaient pas. Il avait tenté d'enfoncer la porte, mais deux coups de feu avaient mis fin à ses efforts.

Tandis que les flammes envahissaient lentement l'établissement, Richard Blass avait tranquillement siroté une bière pour s'assurer que le feu ne s'éteigne pas de lui-même.

L'énorme battage médiatique fait autour de l'affaire devait bientôt inquiéter le *Chat*. Il s'en ouvrit à son frère Michel et à Benoît Vinet, son chauffeur personnel, à qui il avait donné rendez-vous devant un restaurant de l'est de la ville. Benoît Vinet proposa de le conduire dans un chalet qu'il avait loué, hors de la ville. «Là, lui dit-il, tu seras en sécurité.» Michel Blass incita son aîné à accepter cette proposition, mais il ignorait alors que lui et Benoît Vinet, ce jour-là, avaient été suivis par la police.

Le vendredi 24 janvier 1975, vers 4 h 30 du matin, des membres de la Brigade de choc de la police de Montréal ainsi que des agents du Groupe d'intervention tactique de la Sûreté du Québec, tous triés sur le volet, encerclaient le chalet où Richard Blass avait trouvé refuge. Une certaine Lucette Smith, sa dernière conquête, était en sa compagnie, ainsi que Benoît Vinet et Ginette Charron.

Quatre policiers s'approchèrent en silence de la maison où tout le monde semblait dormir, malgré la présence d'une lumière à l'intérieur. Jean Dagenais, un porte-voix à la main, précédait trois hommes armés de mitraillettes Smith and Wesson 9 mm: Marcel Lacoste, Jacques Durocher et Albert Lysacek.

Richard Blass ne connaissait que l'un d'entre eux, Lysacek, à qui il vouait d'ailleurs une haine sans bornes. Il s'était même fait photographier, un jour, urinant sur une photo du policier qu'il avait juré d'abattre à la première occasion.

Marcel Lacoste, qui semblait avoir pris la tête du trio, commanda à Jean Dagenais de faire les sommations d'usage.

– C'est la police… rendez-vous! Sortez les mains en l'air. C'est la police… rendez-vous! Vous êtes cernés. Sortez les mains en l'air.

Comme les policiers ne recevaient aucune réponse, Marcel Lacoste tenta de défoncer la porte avec son pied avant de projeter la crosse de sa mitraillette dans la vitre. Le premier, il entra dans la place.

– Est-ce que Blass est là ? cria-t-il.

– Je sors… je sors, hurla Lucette Smith, comme le lui avait recommandé de faire Richard Blass en la tirant du lit. Laissez-moi sortir.

Une voix lui ordonna d'ouvrir les lumières, mais sous l'empire de la peur, elle fut incapable de trouver le commutateur. Elle quitta la chambre pour gagner l'entrée tandis que Richard Blass enfilait son pantalon.

– Est-ce que Blass est là ? répéta Marcel Lacoste.

– Oui ! dans la chambre, à l'arrière, mais laissez-moi sortir…

Marcel Lacoste et Jacques Durocher, suivis d'Albert Lysacek, marchèrent vers la chambre, laissant Jean Dagenais grimper seul au premier étage où dormaient Benoît Vinet et Ginette Charron.

Deux rafales de mitraillette, une courte et une longue, furent clairement entendues par tous les témoins. Quand d'autres agents firent irruption dans la pièce, Richard Blass était mort, le corps transpercé de 27 balles.

À l'enquête du coroner, tenue peu après le drame, le procureur de la Couronne déclara à la foule qui venait de l'applaudir : « Je ne suis pas ici pour donner un spectacle, ni pour vous permettre de passer un moment agréable, mais bien pour éclaircir les circonstances de la mort d'un individu considéré comme un danger pour la Société. »

Mais qu'avait donc éclairci la justice, après avoir entendu tous les témoins, à l'exception d'Albert Lysacek, pour pouvoir conclure « à une mort violente sans responsabilité criminelle » ? Richard Blass s'était-il vraiment opposé à son arrestation ou avait-il voulu se rendre, comme le prétendaient au moins deux témoins ? Pourquoi aurait-il, cette fois, choisi de résister à son arrestation, alors qu'à deux reprises, dans le passé, il s'était laissé capturer sans même faire usage de ses armes ? Quel avait été le rôle d'Albert Lysacek dans cette

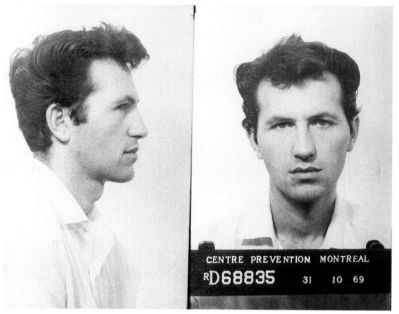

Normand Champagne,
du temps qu'il n'était pas encore « Lawrence d'Arabie ».

Peu après la fin de la prise d'otages à l'institut Pinel, Normand
Champagne salue ses otages et s'excuse pour ce qu'il leur a fait subir.

Quelques bouffées de cigare après des heures de tension
à couper au couteau. Normand Champagne et moi nous apprêtons
à monter en voiture pour nous élancer dans les rues de la métropole.

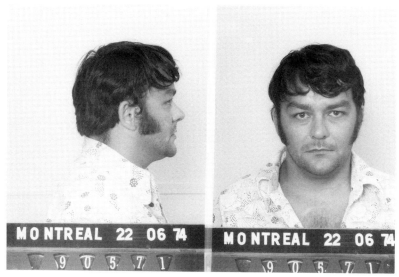

Richard Blass, dit le Chat.

Dans l'intimité… Une photo de « promotion »
propre à intimider ses nombreux adversaires.

Rencontre impromptue avec Richard Blass à la rédaction de
l'hebdomadaire *Dimanche-Matin*.

Richard Blass à son dernier repos,
quelques mois plus tard, en janvier 1975.

Prise d'otages dans une station-service, rue Jarry, 17 février 1975.

Les policiers ont pris position autour de la station-service.

Réal Brousseau, à gauche, et André Arsenault hésitent à quitter leur refuge.

Réal Brousseau, carabine M1 en main,
conduit un premier otage à mon auto.

André Arsenault escorte le second otage.

Les otages sont introduits dans ma voiture.

J'annonce au capitaine Julien Giguère que je remplacerai le second otage.

Le capitaine Marcel Allard regagne sa voiture tandis que je vais prendre place au volant de mon auto où m'attendent Réal Brousseau et André Arsenault en compagnie de l'employé de la station-service.

opération policière ? Pourquoi s'était-il joint aux membres du Groupe d'intervention tactique et pourquoi, surtout, n'avait-il pas été appelé à la barre des témoins ?

La veille de sa mort, Richard Blass avait gagné seul sa chambre pour rédiger deux lettres : la première était destinée à son avocat ; la seconde m'était adressée. Pourquoi ces lettres ne furent-elles jamais remises à leurs destinataires ?

Trop de questions étaient laissées sans réponse pour que je puisse tourner la page. À tort peut-être, je refusais de conclure, de classer le dossier et de tout oublier. Le doute subsistait dans mon esprit, comme dans celui de maints jeunes truands, un doute qui, par malheur, se transforma rapidement dans leur esprit en une quasi-certitude : *Richard Blass avait été assassiné ; il avait été traîtreusement abattu alors qu'il acceptait de se rendre.*

Le 17 février 1975, vers 11 heures, cette idée hantait tout particulièrement l'esprit de Réal Brousseau.

«Je ne leur ferai jamais confiance», se disait-il, les yeux rivés au rétroviseur de sa camionnette.

Quelques minutes plus tôt, en compagnie d'un ami, André Arsenault, il avait pris d'assaut une banque située dans les quartiers paisibles du nord de la ville. Tout s'était déroulé admirablement bien pendant le vol, mais à leur sortie de la banque, ils avaient dû s'en prendre à deux jeunes agents qui relevaient, par pure routine, le numéro d'immatriculation de leur camionnette, volée une heure plus tôt.

Sous la menace de leurs armes, les policiers les avaient laissés fuir, mais sitôt après la disparition des suspects ils avaient donné l'alerte, avant de les prendre en chasse.

Réal Brousseau avait peu d'espoir de s'en tirer, mais il n'était pas homme à se décourager.

«Ils ne m'auront pas aussi facilement que Blass», se promit-il en freinant devant une station-service…

Chapitre 8

Quand retentit le timbre de mon téléavertisseur, je fis celui qui n'avait pas entendu; malgré le bruit qui régnait dans la pièce, je n'avais pourtant rien perdu du message de la téléphoniste. Le lieutenant Carlo Rossi, de la police de Montréal, demandait à me parler de toute urgence, mais je pensai, sottement, que cela pouvait attendre.

– Quelqu'un cherche à vous joindre? me demanda d'une voix presque timide Gina Lolobrigida.

– Oui! Un policier...

– Peut-être est-ce important?

– Sûrement, ajoutai-je, d'une voix faussement modeste, comme si cela allait de soi. Mais cela peut attendre. Parlons de vous, plutôt, dis-je en prenant plaisir à m'entourer d'un halo de mystère, attitude qui amusait bien plus qu'elle n'intriguait l'actrice italienne. Mi-rieuse, mi-songeuse, nullement décontenancée par mes manières désinvoltes, elle revint à sa question première, sachant que je brûlais de capter son intérêt.

– Est-ce vrai ce qu'on m'a dit à votre sujet avant notre rencontre, que vous assistez rarement à de telles conférences de presse, que vous vous intéressez davantage à des sujets plus... Elle s'interrompit un court instant, à la recherche d'un qualificatif... plus... à des sujets plus brûlants d'actualité? ajouta-t-elle en souriant.

J'avouai tout: les Cadillac rutilantes stationnées devant l'hôtel Ritz, qui avaient piqué ma curiosité; mes questions au portier qui m'avait reconnu; l'annonce de la conférence où elle devait présenter à la presse montréalaise un ouvrage destiné à promouvoir le tourisme italien; mon désir subit de la rencontrer... sous n'importe quel prétexte. Je ris avec elle de l'étonnement de mon chef des nouvelles quand je lui avais fait part de mon intention de couvrir l'événement, des inquiétudes du maître d'hôtel du Ritz quand il m'avait aperçu dans les chics salons de l'hôtel, de la «réussite» un peu particulière qu'avaient connue au Canada certains de ses compatriotes... Malgré les regards meurtriers de mes confrères, je voulus prolonger cet instant délicieux, moment privilégié, rare dans le métier que j'exerçais, mais un second appel du lieutenant Rossi m'obligea à céder ma place. Je m'excusai auprès de Gina Lolobrigida, promettant de lui faire part de la raison de ce mystérieux appel avant mon départ.

En pestant intérieurement contre l'insistance du policier, je composai le numéro que m'avait transmis la téléphoniste; la ligne était occupée. À cet instant seulement, je pris conscience d'un détail qui m'avait échappé jusque-là: le numéro de téléphone m'était inconnu. Ce n'était ni un numéro de la police de Montréal, ni celui du domicile du policier. «S'il avait tenté de me joindre d'une cabine publique, pensai-je, il devait être furieux.» Plus de vingt minutes déjà s'étaient écoulées depuis son premier appel. Je composai de nouveau le numéro, mais je n'eus guère plus de succès et, plutôt que d'attendre sans rien entreprendre, je communiquai avec ma station de radio.

– Ah! te voilà enfin, me dit mon chef des nouvelles, visiblement soulagé de m'entendre. Tu en as mis du temps pour rappeler. Où es-tu en ce moment?

– À l'hôtel Ritz, comme je te l'avais dit, avec la jolie, l'adorable, l'énigmatique Lolobrigida. Tu veux que je te dise...

– Non! Tu me parleras une autre fois de la belle Lolo, tu veux! Rossi te cherche partout. Il m'a fait jurer de te retrouver. Tu dois le rappeler le plus rapidement possible. Attends, je vais te donner son numéro.

– Tu peux laisser tomber; je l'ai déjà, mais veux-tu me dire ce qui se passe?

– Je n'en sais trop rien, mais je pense que c'est en rapport avec une prise d'otages dans une station-service. Deux gars, armés jusqu'aux dents. Ils menacent de tuer les employés si les policiers approchent.

– Donne-moi l'adresse précise.

– Et Rossi?

– Je vais le rappeler, mais si la ligne est encore occupée, je file là-bas. Essaie de ton côté de le joindre ; dis-lui que je me rends sur les lieux.

J'hésitai pourtant à prendre ce parti quand j'eus tenté, vainement, pour la troisième fois, d'entrer en contact avec le lieutenant Carlo Rossi ; au fond, rien n'indiquait qu'il avait besoin de mes services sur les lieux de la prise d'otages comme le croyait mon chef des nouvelles. Peut-être cherchait-il seulement un renseignement qui lui permettrait de mener à bien les négociations ; peut-être voulait-il se faire une idée des ravisseurs en conversant avec quelqu'un qui les avait connus en des circonstances moins dramatiques, obtenir une sorte de portrait psychologique ou encore, le nom d'un ami, d'une amie, que sais-je?

Comme la vie de plusieurs personnes pouvait dépendre de ma décision, je voulus prendre conseil auprès du capitaine Julien Giguère, au Bureau des enquêtes criminelles, mais sa réponse me déçut ; il avoua ne connaître l'affaire que dans ses grandes lignes. J'insistai, croyant que, à l'exemple d'autres policiers jaloux de leurs prérogatives il voulait me tenir à l'écart des opérations.

– Je ne sais pas pourquoi Rossi veut te parler. Si je le savais, crois-moi, Claude, je te le dirais. Mais ne bouge surtout pas ; reste où tu es. Je vais te rappeler dans cinq minutes.

J'avais à peine raccroché que déjà l'appareil sonnait de nouveau. Le capitaine Giguère ne m'en dit guère plus qu'auparavant, sinon que je devais me rendre sans tarder sur les lieux de la prise d'otages, où le lieutenant Carlo Rossi souhaitait ma présence à ses côtés. Je voulus poser une question, mais il ne m'en laissa pas le temps.

– Là-bas! Quand tu seras sur place. Je serai d'ailleurs là avec le capitaine Marcel Allard. L'affaire prend des proportions imprévues.

En gagnant la sortie, je croisai Gina Lolobrigida et son escorte. La conférence de presse venant de prendre fin, l'actrice italienne quittait l'hôtel. Elle me sourit et je crus lire dans son regard une sorte d'interrogation muette.

– C'était donc si important? dit-elle quand je réussis à me frayer un chemin jusqu'à elle.

En peu de mots, je lui rapportai les propos du capitaine Giguère. Rien ne m'obligeait à revivre le drame de l'institut Louis-Philippe-Pinel; cette fois, je pouvais dire non, mais une sorte d'enthousiasme, de frénésie, plus forte que la raison, plus puissante que le souvenir de ma peur, s'était à nouveau emparée de moi.

Ni l'inquiétude qui allait s'emparer de mes proches, ni la perspective de la mort ne m'effrayaient. Seulement le désir d'être, au plus tôt, là où le destin à nouveau me donnait rendez-vous. Comme un homme jeté dans un fleuve en crue, je courais à l'action, incapable de lutter contre le cours tumultueux des événements. Aurais-je voulu agir autrement, résister à cet emportement, qu'aucune force n'aurait pu rompre le sortilège de cet appel irrésistible. Sous l'emprise de cette force, j'avais quitté l'actrice italienne, sans même en garder le souvenir. J'avais emprunté les grandes artères, l'instinct seul guidant ma course dans la ville, puis il y avait eu cette conversation sur les ondes de la police. Mon nom avait été prononcé; j'avais prêté l'oreille, croyant reconnaître la voix du lieutenant Carlo Rossi et celle du capitaine Julien Giguère.

– Ils viennent de libérer un des otages, un des employés du garage, avait-on déclaré sur la fréquence réservée aux communications urgentes dans des affaires d'importance.

– Que demandent-ils? avait voulu savoir le capitaine Giguère.

– La présence de Poirier; ils ne veulent parler qu'a lui.

– Pouvez-vous les apercevoir?

– Non! La distance est trop grande et, si on approche, ils peuvent prendre peur et tuer les otages. Le gars qu'ils ont libéré dit qu'ils sont très nerveux; surtout le plus vieux. Il est peut-être drogué, du moins l'employé du garage a cette impression.

Les sirènes de deux voitures non identifiées du service de la police de Montréal, sans doute celles du Bureau des enquêtes criminelles, m'avaient empêché de suivre plus longtemps la conversation. D'un brusque coup de volant, j'avais pris place derrière elles, la pédale d'accélération au plancher pour ne pas être distancé. Grâce à cette escorte imprévue, j'avais pu atteindre rapidement la rue Jarry, dans le nord de la ville où la circulation était malheureusement paralysée. En compagnie des policiers, il m'avait donc fallu gagner la station-service à pied.

Devant nous, les curieux entrouvraient leurs rangs pour nous céder le passage. J'entendis quelqu'un s'exclamer : « Voilà Claude Poirier. C'est Claude Poirier ; il arrive. »

Ainsi, ils m'avaient attendu, comme la foule attend l'arrivée dans l'arène de l'homme qui va affronter la mort. Leurs yeux se portaient vers moi ; je lisais dans leur regard à la fois de l'admiration et une sorte d'encouragement muet. Quelques-uns même m'adressaient familièrement la parole. « Vas-y, Claude » et malgré l'incongruité de cette exclamation, je souris, fier, au fond, de l'image qu'ils s'étaient faite de moi.

Était-ce cela ma récompense ? Était-ce pour connaître cet instant d'ivresse que j'allais au devant de la mort ?

Devant l'édifice de Radio-Canada, boulevard Dorchester, une jeune et jolie femme, visiblement soucieuse, héla un taxi en maraude. Le chauffeur vit sa cliente à la dernière seconde. Il freina brusquement, provoquant la fureur des automobilistes qui n'avaient pas prévu sa manœuvre, avant de se ranger le long de la chaussée, mais contrairement à son habitude il ne porta aucune attention à la personne qui prenait place sur la banquette arrière.

La jeune femme dut répéter à deux reprises l'adresse de l'endroit où elle voulait se rendre avant qu'il ne consente à démarrer.

– Je m'excuse, ma petite dame, dit-il. Je n'avais pas compris. J'espère que ça ne vous ennuie pas trop la radio. J'écoute une émission spéciale. Deux bandits ont pris des otages dans une station-service. Vous connaissez le gars qui risque sa vie ? Eh bien ! il va entrer dans la station-service pour essayer de sauver les gens. Lui, il va mal finir…

Les traits de la jeune femme s'assombrirent, puis elle dit, comme pour elle-même :

– Je sais, c'est mon mari !

Vêtu comme un cadre supérieur d'une grande société, le lieutenant Carlo Rossi marchait vers moi, une carabine à la main. Il m'avait aperçu de loin, pressé par la foule qui, aux abords de la station-service, était plus animée. Des gens pointaient du doigt l'établissement ; d'autres riaient à gorge déployée ; d'autres encore tentaient de franchir les cordons de sécurité pour mieux voir le spectacle. Je comptai une bonne centaine de policiers, l'arme au poing ; ils avaient pris position à cent mètres, de part et d'autre de la station-service, tandis que les tireurs d'élite de la Brigade de choc occupaient les toits des immeubles.

– Tu sais pourquoi je t'ai appelé ? me demanda le lieutenant Carlo Rossi, sans autre préambule, quand je l'eus rejoint au milieu de la chaussée. Devant mon signe d'acquiescement, il ajouta : J'ai un numéro de téléphone, celui de la station-service. Nous allons essayer de leur parler.

Je ne fis aucune objection. J'avais toute confiance en l'expérience du lieutenant Rossi qui se voyait habituellement confier la tâche délicate de prendre contact avec les suspects, dans des cas de ce genre. Homme de sang-froid, calme, patient, il s'était toujours mérité l'estime des hommes qu'il avait appréhendés en faisant preuve toujours d'une grande humanité. En silence, je gagnai sur ses traces un restaurant situé à deux pas d'où il comptait placer son appel aux ravisseurs.

– Tu connais un certain Réal Brousseau ? me dit-il avant de pénétrer dans l'établissement.

– Non ! Le nom ne me dit rien. Pourquoi ?

– C'est un des deux suspects. Un spécialiste du vol à main armée. Une trentaine d'années. Son comparse s'appelle André Arsenault ; il a 35 ans. Ce nom-là ne te dit rien non plus ?

– Pas davantage. Pas de meurtres à leur actif ?

– Non, mais si l'on ne fait rien, cela ne tardera pas.

– Lequel des deux m'a fait demander ?

– C'est Brousseau. Adresse-toi à lui ; il paraît mener les opérations ; l'autre est peut-être sous l'effet des narcotiques. Il en donne tous les symptômes : clignement des paupières, pupilles dilatées…

Tout en me donnant ces renseignements, le lieutenant Carlo Rossi avait composé le numéro de téléphone de la station-service, mais, déçu, il raccrocha.

– La ligne est occupée. J'ai essayé vingt fois avant ton arrivée et c'est toujours la même chose. J'espère qu'ils ne sont pas en train de parler avec un de ces cabotins de journalistes…

Réal Brousseau était en ligne avec l'animateur radiophonique Matthias Rioux. Leur conversation était transmise sur les ondes d'une station de la métropole.

– Que se passe-t-il et qu'est-ce que nous pouvons faire pour vous aider ou aider la population, demandait Rioux qui avait cru bon d'interrompre son émission en cours pour intercéder en faveur des otages.

– Aider la population, rétorqua Réal Brousseau, furieux du ton qu'avait employé Matthias Rioux. Je vais te dire ce qu'est la population à mes yeux, reprit Brousseau : des caves, une bande d'idiots. Me comprends-tu ?

– Oui !

– Si j'en suis rendu à de telles extrémités, c'est à cause de la société, de cette bande de *pourris*. D'accord ?

– Est-ce que tu trouves que la société est à ce point violente qu'il faille lui répondre par la violence ?

– C'est ça, mon vieux. Tu as tout compris.

– Détenez-vous toujours des otages ?

– Oui !

– Combien y en a-t-il ?

– Nous en avons cinq !

– Vous détenez cinq personnes ? Mais pour quelles raisons, quel but poursuivez-vous ?

– La mort pour la mort.

– Oui ! mais peut-être détenez-vous des innocents ?

– Des innocents ?

– Oui !

– Dans toute affaire de ce genre, il y a toujours des innocents.

– Est-ce que je peux te demander quelque chose ?

– Demande toujours.

– Peut-on épargner la vie de ces gens s'ils sont innocents ?

– Tout dépend de la façon dont je serais personnellement traité. Jusqu'à présent, j'ai toujours été malmené.

À bout d'arguments, Matthias Rioux fit une pause. Il n'avait pu s'attirer la sympathie de Réal Brousseau. Il crut mieux faire en faisant dévier la conversation sur un sujet moins brûlant, mais son interlocuteur ne s'y laissa pas prendre.

– Tu n'es pas seul dans le coup ?

– Tu veux savoir combien nous sommes ?

– Oui ! Est-ce que tu es avec un ami, quoi ?

– Nous sommes trois, dit en blaguant Réal Brousseau ; deux mâles et un homosexuel.

Rioux perdit pied ; le tour imprévu qu'avait pris la conversation le laissait sans voix. Il ne savait plus que dire ni que faire, conscient de la présence de milliers d'auditeurs à l'écoute. Il fit une ultime prière, bien que conscient de la faiblesse de ses arguments :

– Sérieusement, vous ne pouvez pas tuer tous ces gens. Peut-être pourriez-vous faire preuve de clémence à leur égard ? Des négociations sont-elles encore possibles ?

– Bien sûr! J'attends d'ailleurs Claude Poirier.

– Claude Poirier?

– Oui!

– … Dans les circonstances, je ne sais ce qui peut être fait, mais, personnellement, je suis prêt à m'impliquer pour sauver la vie de ces gens.

– La seule chose que tu puisses faire, c'est de mettre fin à ton bavardage et de venir ici, à la station-service. Le bavardage, ça ne mène jamais à rien…

Quand le lieutenant Carlo Rossi fit une nouvelle tentative pour joindre les ravisseurs, une employée de la compagnie du téléphone lui apprit que son correspondant avait décroché son appareil.

– Bon, nous n'avons plus le choix, dit-il avant de demander à un collaborateur qu'il se procure un porte-voix.

Puis, se tournant vers le capitaine Giguère et le capitaine Allard qui nous avaient rejoints au restaurant, il fit part de ses intentions, comme s'il annonçait un vague projet de balade à la campagne.

– Je vais avancer, seul avec Claude.

– Ce n'est pas prudent, fit observer le capitaine Giguère; les deux gars pourraient tirer s'ils vous voient.

– Je ne veux pas que Claude coure le moindre risque avant d'en connaître un peu plus sur eux. Si je le peux, d'ailleurs, je vais entrer avec lui.

Je vis bien à son regard qu'il était inquiet, mais il se gardait d'en parler, de peur que ses propres appréhensions n'avivent mes craintes. Se pouvait-il qu'il soupçonne un piège? Flairait-il un coup fourré? En y réfléchissant bien, l'aventure était hasardeuse. Je ne connaissais ni Réal Brousseau ni André Arsenault; pourtant, ils avaient insisté pour que je me rende auprès d'eux. Qu'attendaient-ils de moi? Un miracle! Que j'intercède en leur nom pour qu'ils obtiennent leur pardon? Toutes les raisons se valaient, y compris le désir de se venger, mais comme je n'avais pas fait part de mes réflexions au lieutenant Carlo Rossi, il m'entraîna à sa suite devant la station-service.

– Réal, appela-t-il dans le porte-voix. Claude Poirier est à mes côtés. Veux-tu toujours lui parler?

Personne ne répondit à son appel; il répéta son invitation, mais sans obtenir plus de succès. Je pris à mon tour l'appareil.

– Les gars… c'est Claude Poirier qui vous parle. Vous m'avez fait demander?

Je prêtai l'oreille, mais le bruit de la rue m'empêchait d'entendre une éventuelle réponse de Réal Brousseau.

– Il faut que nous nous approchions, dis-je au lieutenant Rossi.

Le capitaine Allard toutefois s'objecta; il me prit à part.

– Tu n'es pas obligé d'aller à l'intérieur; la décision te revient, et quoi que tu fasses, personne ne pourra te faire de reproches. Nous tenterons l'impossible pour sauver les otages, mais pas au prix d'une autre vie.

Je serrai la main de l'officier pour le remercier avant de faire signe au lieutenant Rossi que j'étais prêt. Il fonça en direction de la station-service, en zigzaguant, pour éviter d'être pris pour cible; je le suivis quelques secondes plus tard, quand il eut disparu derrière l'immeuble. Une fois réunis de nouveau, je m'emparai du porte-voix pour lancer un nouvel appel.

– Réal, c'est Claude Poirier qui te parle. Je suis tout près de la station-service. Veux-tu que j'entre?

Je n'entendis d'abord rien, puis un membre de la Brigade de choc posté à l'autre extrémité de l'immeuble me cria: «Oui! Oui! Il a entendu… il veut que tu t'approches de l'entrée.

– Je te donne cinq minutes Claude, dit le lieutenant Rossi; passé ce délai, je donnerai l'ordre à mes hommes de passer à l'action avec les gaz.

– Ne vous inquiétez pas; je m'en sortirai bien tout seul.

Mains en l'air, j'avançai devant l'entrée.

– Enlève ton manteau, ordonna une voix qui semblait provenir de l'atelier, mais l'état des vitres m'empêchait de voir celui qui avait lancé cet ordre. J'obéis pourtant et, pour éviter toute méprise, je révélai la couleur de mon complet.

– C'est d'accord, tu peux venir.

– Par où voulez-vous que j'entre ?

– Par la porte principale, celle qui est devant toi.

Je m'approchai lentement. S'ils en veulent à ma peau, me dis-je, c'est maintenant qu'ils vont tirer… Rien ne se passa pourtant. J'ouvris la porte toute grande, cherchant à percer l'obscurité qui régnait dans l'atelier, puis je fis un pas à l'intérieur, butant contre une barre de métal qui avait été abandonnée près de l'entrée. Je faillis tomber, mais au dernier instant je me retins à une bonbonne. À mes pieds, trois hommes en vêtements de travail étaient étendus sur le sol. Ils ne levèrent même pas la tête quand je passai près d'eux avant de tomber en arrêt devant un des ravisseurs. J'appris par la suite qu'il s'agissait d'André Arsenault. Il tenait deux revolvers sur la nuque d'un employé de la station-service assis, le dos au mur sur une bûche ; un cinquième otage, client de l'établissement, était à ses côtés.

Toute couleur avait disparu de leur visage. La sueur perlait à leur front où des rides, sous l'effet de la peur, avaient vieilli prématurément leurs traits. De peur de provoquer la colère de leurs ravisseurs, ils n'osaient bouger, malgré l'inconfort de leur position.

Je voulus m'adresser à André Arsenault, croyant qu'il s'agissait de son comparse, mais Réal Brousseau prévint mon geste.

– Viens ici, Ti-Claude ; il n'arrivera rien si les *bœufs* se tiennent tranquilles.

Une carabine M I à la main, il se tenait derrière une camionnette stationnée au fond de l'atelier. Il s'était avancé légèrement pour que je l'aperçoive, mais il hésitait à quitter son refuge, de peur que les tireurs d'élite, postés sur le toit de l'immeuble voisin, ne profitent de l'occasion pour l'abattre.

– On veut pas mourir comme Blass !

Chapitre 9

J'aurais voulu rassurer Réal Brousseau, mais je m'en sentais incapable. J'avais une entière confiance dans les trois officiers qui dirigeaient l'opération, mais pouvais-je en dire autant des jeunes policiers demandés en renforts ? Comment prévoir leurs réactions ? Ils étaient si nombreux ; ils avaient si peu l'expérience de tels événements. Je regrettais amèrement de n'avoir pas exigé l'évacuation des abords de la station-service avant de pénétrer dans la place ; dans la situation présente, ni le lieutenant Carlo Rossi, ni le capitaine Julien Giguère, ni son confrère, Marcel Allard, n'auraient pu dire non à ma demande.

– … Dans le passé, Blass t'a fait confiance ; nous voulons bien te faire confiance aussi, mais si les *bœufs* emploient les gaz ou s'ils tentent d'entrer, nous allons tous crever ici. Personne n'en sortira vivant. L'argent, ils ne l'auront pas ; nous l'avons brûlé. Et s'ils font les imbéciles, ils ne vont trouver que des cadavres.

– Les gars, ne faites pas les idiots. Nous allons trouver une solution. Qu'est-ce que vous voulez au juste ?

Tout en parlant, Réal Brousseau jetait de fréquents regards à la rue et sur les toits des immeubles voisins, sa main crispée sur la gâchette de la M I.

– D'abord, que les *bœufs* avec les mitraillettes disparaissent et qu'ils fassent ça rapidement. Parle-leur des otages ; dis-leur qu'ils sont couchés par terre. Nous ne voulons pas les tuer, mais nous ne voulons pas non plus mourir ni subir un procès dans la rue, comme Richard Blass.

– Faites-moi confiance, dis-je en m'adressant aux deux hommes.

Mais en réalité, je ne parlais que pour Réal Brousseau. André Arsenault était drogué. Ses clignements de paupières ne me laissaient aucun doute ; mais, fort heureusement, il se tenait tranquille, près des deux otages assis, ne prenant même pas part à la conversation. Réal Brousseau ne lui en laissait d'ailleurs guère le loisir. Dès mon entrée, il s'était interposé entre nous et jamais il ne songea à son compagnon. Pour éviter toutefois d'être pris à partie, je faisais mine de parler aux deux hommes, tout en ne cherchant qu'à convaincre Réal Brousseau.

– Je vais vous sortir de là. Avez-vous une idée en tête ?

– Nous voulons que tu amènes ta voiture devant la station-service. Nous allons libérer trois otages ; les deux autres nous suivront jusqu'au quartier général de la police. Si nous y arrivons sains et saufs, nous te donnons notre parole qu'ils seront libérés. Nous te remettrons également nos armes avant de monter avec toi dans les locaux du Bureau des enquêtes criminelles. Une chose encore : nous voulons que des photos soient prises des otages ; personne ne pourra venir dire au procès qu'ils ont été maltraités.

Ces exigences ne me paraissaient pas déraisonnables. J'acceptai donc de transmettre intégralement leurs propositions au lieutenant Carlo Rossi. Un des employés, je ne sais plus lequel, m'interpella avant que je ne quitte le garage.

– Dépêchez-vous, M. Poirier ; dites aux policiers de ne rien faire. Qu'ils se contentent d'accepter ces exigences. Nous ne voulons pas mourir.

– J'ai votre parole, les gars, qu'il ne se passera rien, dis-je en faisant comme si je n'avais pas entendu la supplique de l'employé.

– Oui, mais si nous sentons quelque chose, si nous voyons les *bœufs* bouger, ça sera tant pis.

Je sortis de la station-service, mon manteau sous le bras. Le froid de cette journée d'hiver m'enveloppa, mais je n'en tins aucun compte. Je sentais sur moi les regards des tireurs

112

d'élite. Allaient-ils s'approcher, comme le craignait Réal Brousseau ? Que ferait-il alors ? Serais-je le premier visé ? Je fis encore quelques pas ; étrangement, personne ne vint à ma rencontre. Le lieutenant Carlo Rossi, en compagnie du capitaine Allard et du capitaine Giguère, se tenait dans une encoignure. Les journalistes, derrière le premier cordon de sécurité, firent mine de venir nous rejoindre, mais un officier leur intima l'ordre de rester à leur place.

— Il faut d'abord que les tireurs d'élite se retirent ; Réal Brousseau ne veut pas en voir un seul, sinon ils ne sortiront pas. Faites disparaître les mitraillettes et les fusils ; c'est plus prudent.

— Mais qu'est-ce qu'il veut ? demanda le capitaine Giguère.

— Se rendre !

— Se rendre ? C'est tout ce qu'il veut, mais pourquoi tout ce cinéma ?

— Il a peur d'être abattu comme Richard Blass.

Après un moment de silence, le lieutenant Rossi voulut exiger la remise immédiate des armes.

— Ils les remettront seulement au quartier général ; là-dessus, ils ne céderont pas. Ils ont trop peur.

Les trois officiers se regardèrent l'un et l'autre, ne sachant quel parti adopter. Le capitaine Giguère, le premier, rompit le silence qui s'était à nouveau établit entre nous.

— Reste ici… nous allons donner quelques coups de téléphone et puis nous verrons pour la suite.

Je crus d'abord qu'ils désiraient connaître l'avis de leurs supérieurs avant d'accepter les exigences des ravisseurs, mais peut-être voulaient-ils seulement se donner le temps de demander des renforts pour cette nouvelle phase de l'opération. Les ravisseurs disposeraient désormais d'un véhicule et, pour éviter qu'ils ne s'échappent, les trois officiers avaient dû songer à faire appel à l'hélicoptère de la police. Des auto-patrouilles devraient également gagner les principaux carrefours et se tenir prêtes à intervenir à la moindre alerte. Le filet qui serait tissé à travers la ville serait invisible, mais certains préparatifs ne pouvaient m'échapper. Des agents quittaient discrètement leur poste, sans doute pour gagner leur voiture. La foule s'agitait, avertie par un mystérieux sixième sens que quelque chose allait se produire. Je me tins aux aguets ; après tout, rien n'indiquait que les policiers avaient accepté de se plier aux exigences de Réal Brousseau ; la Brigade de choc se préparait peut-être à un assaut.

L'apparition du lieutenant Rossi me rassura partiellement ; en suivant son approche, je vis également que les tireurs d'élite avaient quitté les toits.

– Où as-tu laissé ton auto ?

– À deux rues d'ici.

– Va la chercher ; entre-temps, je vais demander qu'on évacue la place.

– C'est donc accepté ?

– Oui ! mais pas d'imprudence. Une autopatrouille va te précéder tout au long du parcours pour t'ouvrir le chemin ; je serai à l'arrière, dans une voiture du Bureau des enquêtes criminelles, avec Giguère et Allard.

Je filai en direction de ma voiture, pourchassé par quelques confrères qui voulaient connaître les derniers développements. «Ils vont sortir», dis-je à l'un d'entre eux qui me pressait de questions, mais je refusai d'en dire plus. Il me fallait faire vite. Réal Brousseau pouvait s'inquiéter de mon absence.

Les questions des journalistes se confondirent avec celles des quelques curieux qui entouraient mon automobile, mais des agents intervinrent pour me permettre de gagner plus rapidement la station-service. Je roulai vers la porte principale et, avant d'aller à la rencontre des ravisseurs, je branchai le haut-parleur installé sur le toit de ma voiture pour leur communiquer la réponse de la police. «Réal... André... vos demandes sont acceptées... vous pouvez sortir. »

La porte de la station-service s'ouvrit ; mains en l'air, le client fait prisonnier apparut, suivi d'un employé. Réal Brousseau et André Arsenault tenaient leur arme d'une main ; de l'autre, ils agrippaient les vêtements de leurs victimes. Je quittai mon véhicule pour me porter au-devant d'eux.

– Où est ton photographe ? demanda Brousseau.

– Je dois lui faire signe de venir quand nous serons prêts à partir.

– Qu'il vienne maintenant.

Je connaissais peu le photographe qui avait été choisi pour ce travail. D'un geste de la main, je l'invitai à se joindre à nous, mais il se garda bien de trop approcher. Il prit plusieurs photos tandis que Réal Brousseau conduisait l'employé de la station-service à ma voiture, avant de lui ordonner de prendre place sur la banquette arrière. André Arsenault suivit le même chemin quelques instants plus tard, mais son otage se rebella au moment où il allait monter dans la voiture.

– Je ne veux pas venir avec eux, me dit-il, pleurant presque. Ma femme est enceinte ; elle doit être morte d'inquiétude…

Réal Brousseau brandit sa carabine.

– Tu m'as promis de libérer trois personnes, Réal, pourquoi pas quatre ?… Laisse-le aller. Tu as déjà un otage dans l'auto ; avec moi, ça t'en fera deux.

– Je veux bien, mais tu ne me donnes guère le choix ; je devrai pointer ma carabine dans ta direction durant le parcours…

Je fis signe au deuxième otage de disparaître ; d'abord, il crut à un piège, sans doute sous l'effet de la peur. Les mains toujours levées, il recula, en proie à la terreur ; puis, prenant conscience que personne ne lui portait plus attention, il nous tourna le dos pour courir se mettre à l'abri.

À cet instant précis, le regardant fuir vers la sécurité, j'enviai presque sa lâcheté.

La voiture roulait à vive allure en direction du quartier général de la police de Montréal. J'avais peine à suivre l'auto-patrouille qui, ses clignotants d'urgence et son gyrophare allumés, nous ouvrait la voie. Sa sirène semait l'émoi parmi les passants et les automobilistes, et quand l'un d'entre eux tardait à céder le passage, des coups de klaxon rageurs le rappelaient à l'ordre. L'arme de Réal Brousseau visait ma poitrine ; parfois, sous l'effet de brusques ralentissements, je sentais le canon s'enfoncer dans mes côtes.

– Si tu tiens à garder ton chauffeur en vie, tu ferais peut-être mieux de pointer ton arme dans une autre direction. Si nous heurtons un obstacle dans la rue, tu pourrais appuyer accidentellement sur la gâchette et, à la vitesse où nous roulons, personne n'en réchapperait.

– Si tu crois que les *bœufs* tiendront leur parole, je suis d'accord.

– Je t'assure que tu n'as rien à craindre.

L'employé, assis à l'arrière, n'était guère en meilleure posture. Par le rétroviseur, je vis qu'André Arsenault lui braquait toujours son revolver sur la tempe ; la cigarette que je lui avais remise était encore éteinte, comme s'il n'avait pas bougé depuis. Pour mettre fin à son supplice, j'intervins auprès de Réal Brousseau pour qu'il ordonne à son compagnon de poser son arme, ce qu'il fit d'ailleurs avant de me demander d'ouvrir le récepteur grâce auquel je pouvais capter les communications de la police.

Depuis notre entrée dans l'auto, j'avais craint cette demande.

– Tu crois que c'est utile ? dis-je. À cette vitesse, tu peux être sûr que nous n'entendrons rien.

– Ouvre-le quand même ; on ne sait jamais. Si les *bœufs* nous ont préparé un comité d'accueil, nous le saurons.

L'autopatrouille avait emprunté un sens unique ; nous roulions sur une artère particulièrement fréquentée à cette heure de la journée. La conduite exigeait toute ma concentration. J'avais cessé de porter attention aux communications de la police, quand une voix anonyme invita les policiers à l'écoute à n'avoir aucune pitié pour les deux ravisseurs.

« Tuez-moi ces ordures ; il faut en débarrasser la société… »

– Arrête la voiture… tout de suite, commanda Réal Brousseau qui avait armé sa carabine. Ils nous ont tendu un piège, comme pour Blass.

– C'est faux, répondis-je. Ils n'auraient pas osé…

– Ferme ta gueule. Lève les vitres et verrouille les portières.

La voiture du capitaine Giguère avait failli emboutir mon auto ; elle touchait presque mon pare-chocs. Dans le rétroviseur, je vis l'officier porter un micro à sa bouche et, au même instant, sa voix retentit sur les ondes.

– De telles réflexions sont indignes d'un policier ; de plus, elles pourraient faire croire aux suspects que leur vie est en danger. Rappelez-vous, Messieurs, que deux otages sont encore entre leurs mains. Terminé.

L'intervention du capitaine Giguère détendit l'atmosphère, mais Réal Brousseau n'avait pas perdu toute méfiance. Il hésitait encore à me donner l'ordre de démarrer.

– Je vais aller chercher Giguère et Allard ; ils te diront eux-mêmes que tu n'as pas raison de t'en faire.

Comme il ne s'opposait pas à ma démarche, je gagnai l'auto des officiers pour leur expliquer la situation. Ils s'empressèrent de répondre à ma demande et vinrent en ma compagnie pour rassurer les deux hommes.

– Tant que la vie de vos otages n'est pas en danger, vous n'avez rien à craindre, dit Allard. Vous avez notre parole. Poursuivez votre route. Il n'arrivera rien.

Je repris ma place au volant, tandis que Réal Brousseau s'excusait pour sa brutalité.

– Dans l'affolement, j'avais oublié que tu étais un ami de Blass, me fit-il part en souriant. Je ne te l'ai peut-être pas dit, mais j'étais aussi très copain avec lui…

Nous roulions maintenant à vitesse réduite. Réal Brousseau se racontait comme si nous avions été seuls, attablés dans un cabaret, comme des amis de toujours.

– La société est pourrie jusqu'à la moelle, répétait-il entre chaque aveu.

Le film de sa vie se déroulait devant moi. Je revoyais l'enfant qu'il avait été, puis cet adolescent rebelle, déjà dévoré par l'amertume.

– Toute ma vie, j'ai connu la misère, dit-il encore avant de parler de ses vaines tentatives pour rendre le mal qui lui avait été fait. Et pour finir où ? Entre quatre murs, dans une cage, comme une bête sauvage.

La vue du quartier général de la police interrompit le flot de ses confidences. D'avoir parlé de lui, de son enfance, lui fit se souvenir de sa famille.

– Claude, voudrais-tu me rendre un dernier service ? Quand tout sera terminé, appelle mon père. Dis-lui qu'il ne s'inquiète pas, que tout va bien, qu'il rassure surtout maman. Elle est très malade. Une histoire pareille pourrait lui être fatale. Pour elle, quoi que je fasse, je serai toujours son enfant ; jusqu'à sa mort, elle se fera du souci à mon sujet comme si je n'étais pas assez grand pour me débrouiller seul.

– Je vais parler à ton père, promis-je.

André Arsenault, qui ne m'avait pas adressé la parole jusqu'alors, me fit la même demande.

– Bon ! d'accord, les gars, mais maintenant, il faut monter. Rossi doit nous attendre. Vous allez me remettre vos armes comme convenu ?

– Oui ! nous n'avons qu'une parole.

Je sortis de la voiture, les armes à la main, pour les accompagner jusqu'à l'étage du Bureau des enquêtes criminelles. En verrouillant les portières, j'aperçus l'employé de la station-service. Il semblait ne pas vouloir quitter l'abri de la voiture ; il n'avait toujours pas allumé sa cigarette.

– Est-ce que je peux sortir moi aussi ? me demanda-t-il d'une voix aux accents pathétiques.

– Oui ! Oui ! dis-je sans pouvoir m'empêcher de sourire. L'affaire est terminée pour vous.

– Merci de m'avoir sauvé la vie.

Et sans plus attendre, il quitta la voiture pour disparaître dans la foule.

– Tu as un bon avocat ? avais-je demandé à Réal Brousseau avant de rejoindre le lieutenant Carlo Rossi.

118

– Oui ! Me Roger. Appelle-le lui aussi, si tu peux. Je pense que je vais en avoir bien besoin. Je risque combien d'années de prison, penses-tu ?

– Aucune idée, mais sois certain que je vais témoigner en ta faveur.

Je savais déjà ce que j'allais dire aux jurés.

Réal Brousseau et André Arsenault avaient certes mis en péril la vie de plusieurs personnes, mais je croyais sincèrement qu'ils devaient bénéficier de circonstances atténuantes, ne serait-ce que parce qu'ils avaient toutes les raisons de croire qu'ils seraient abattus sans autre forme de procès. La publicité faite autour de la mort de Richard Blass leur avait fait croire que les règles du jeu avaient été modifiées pour mettre fin à une vague de violence. Je parlerais très certainement de la mort de Richard Blass, de l'influence malheureuse qu'avaient eue sur leur comportement déjà passablement erratique les circonstances plus ou moins mystérieuses de cette mort violente. Peu m'importait alors que le jury, formé «d'honnêtes citoyens» que Réal Brousseau et ses semblables méprisaient pour leur aptitude à se donner bonne conscience, soit sensible à mes arguments. Au fond, mon témoignage s'adresserait bien davantage aux services policiers.

Personne ne pouvait leur reprocher de faire usage de la force puisque, souvent, leurs agents devaient affronter, dans des circonstances dramatiques, des individus qui n'avaient plus rien à perdre. Ils devaient les empêcher de nuire davantage, parfois même devaient-ils prendre le risque de tuer pour éviter un mal plus grand encore. Jamais toutefois ils ne devaient se départir d'une certaine objectivité en raison même de ce pouvoir de vie et de mort qu'ils détenaient sur leurs semblables, car si l'arbitraire avait force de loi, s'ils étaient animés d'un esprit de vengeance, ou s'ils donnaient seulement à le croire, comme ce policier hurlant sur les ondes de la radio, d'autres innocents paieraient par leur faute.

J'avais toutes les raisons de craindre le pire dans la présente conjoncture. Le climat qui s'était instauré après la fin tragique de Richard Blass et dont l'aventure de la station-service de la rue Jarry avait été l'expression, ne cessait de me préoccuper, d'autant plus que, par deux fois encore, je dus intervenir dans une affaire similaire, les auteurs d'un vol de banque, cernés par la police et craignant d'être abattus, s'étant emparés spontanément de plusieurs otages.

À chaque reprise, le scénario fut le même que celui de la rue Jarry, seuls varient mon entrée en scène et les propos échangés avec des hommes que la peur, plus que leur nature profonde, rendait particulièrement dangereux.

Jacquemin Dumont, par exemple, n'était ni un criminel de la trempe des Richard Blass, Jean-Paul Mercier ou Edgar Roussel, ni un homme promis à une brillante carrière criminelle. Lui-même avait avoué aux 21 employés de la Caisse populaire Saint-Étienne qu'il avait pris en otages, vers 9 heures, le 11 juin 1975, qu'il travaillait «comme un chien» depuis l'âge de 14 ans, et qu'il en avait assez de cette vie.

– Ce que je veux maintenant, c'est faire un voyage, un très beau voyage, très loin.

– Où veux-tu aller? lui avait demandé le sergent-détective Pierre Lafleur, à qui on avait confié, en premier lieu, la tâche d'obtenir la libération des otages. À Cuba, peut-être?

Jacquemin Dumont avait hésité, comme s'il n'avait jamais songé à cela. Des images devaient défiler devant ses yeux, celles de pays où les femmes vont presque nues, auprès d'hommes à la peau bronzée, dans des décors de rêve, des images baignées de soleil, comme on en voit à la télévision, les soirs d'hiver, quand il fait nuit et que tous les espoirs déçus vous laissent un goût amer dans la bouche.

– Non! pas Cuba, avait enfin dit Dumont. Je veux un sauf-conduit pour le Brésil. C'est plus loin et c'est sûrement plus beau…

Chapitre 10

La prise d'otages à la Caisse populaire Saint-Étienne de Ville de Laval s'inscrivait dans la série d'enlèvements visant les familles des directeurs de banques qui, depuis 1974, faisaient la manchette des journaux.

La veille de l'événement, Jacquemin Dumont en compagnie de trois comparses avaient kidnappé le directeur de la caisse populaire, M. Jean-Guy Bérubé, sa femme et ses deux jeunes enfants. M. Bérubé avait été très tôt séparé de sa famille et, sous la menace de représailles contre elle, il avait conduit Jacquemin Dumont dans l'établissement qu'il dirigeait pour lui remettre une rançon de près de 300 000 $.

L'ouverture du coffre-fort n'étant prévue qu'à 9 heures du matin, Jacquemin Dumont avait dû se rendre maître des 21 employés de la caisse, au fur et à mesure de leur arrivée ; l'un d'entre eux toutefois avait réussi à s'échapper pour aller donner l'alerte.

Depuis lors, le ravisseur était assiégé, ignorant même que Mme Bérubé et ses deux enfants avaient échappé à ses complices.

J'avais acquis une telle notoriété depuis mes deux précédentes interventions dans des affaires de ce genre qu'il avait suffit qu'on apprenne ma présence à proximité de la Caisse populaire Saint-Étienne pour qu'on songe à faire appel à mes services.

L'adjoint du directeur de la police de Ville de Laval, M. Jules Charbonneau, un policier qui avait fait ses premières armes au Bureau des enquêtes criminelles de la police de Montréal, m'avait transmis la première invitation.

– Tu es sur place ? m'avait-il demandé après avoir brossé un tableau de la situation.

– Pas encore.

– Est-ce que tu dois venir pour un reportage ?

– Oui !

– Peux-tu te rendre auprès du responsable de l'opération sur le terrain dès ton arrivée à la caisse ? Tu as de l'expérience dans des situations de ce genre. Il se peut que nous ayons besoin de toi.

Une femme, présente aux abords de l'établissement, avait tenu le même langage quand j'avais fait mon apparition parmi la foule des curieux.

– J'avais hâte que vous arriviez, me confia-t-elle spontanément, bien que je ne sache ni son nom ni la raison de sa présence devant la caisse populaire. Vous seul pouvez sauver les gens qui sont à l'intérieur.

Je devais apprendre par la suite que sa propre fille était au nombre des otages.

J'ignorais alors que Jacquemin Dumont était à l'écoute de ma station de radio. Peu après mon premier reportage sur les lieux de la prise d'otages, il me fit demander à son tour.

Dès mon entrée dans la salle du coffre-fort où il tenait prisonnier le directeur de l'établissement, ses premières paroles, à l'exemple de Normand Champagne et de Réal Brousseau, furent pour se plaindre de mon retard.

– Il y a trop de monde ici, lui fis-je observer, sans prendre la peine de m'expliquer sur ce qu'il me reprochait. Tu ne peux pas surveiller tous les employés, et les agents pourraient entrer dans la caisse sans que tu t'en aperçoives. Si tu es d'accord, nous allons faire sortir le personnel, à l'exception du gérant et d'une petite fille qui répondra au téléphone pour le cas où tes amis t'appelleraient. Je vais rester aussi, avec le sergent Lafleur.

– Fais ce qui te semble le mieux, répondit Dumont, le front en sueur, tenant d'une main un revolver et, de l'autre, un sac de voyage rempli de billets de banque. En le regardant mieux, je m'aperçus qu'il était maquillé et qu'il portait une perruque, sans doute pour rendre difficile toute identification.

122

En vingt secondes, montre en main, les otages avaient déserté la caisse, trop heureux de se retrouver libres pour se préoccuper du sort de ceux qui restaient. Parmi eux, j'avais choisi une jeune femme dont le sang-froid avait attiré mon attention.

– Pourriez-vous rester avec nous pour répondre aux appels urgents ? lui avais-je demandé.

– Si cela peut vous aider, je veux bien. Croyez-vous qu'il accepterait que je fasse du café ?

– Certainement. Je vais d'ailleurs demander une bouteille de cognac. Il en aura besoin bientôt.

Le sergent-détective Lafleur m'avait glissé à l'oreille que l'épouse du directeur de la caisse populaire et ses enfants étaient sains et saufs.

Désormais, le temps lui était compté…

Je revins auprès de Jacquemin Dumont ; il contemplait les billets de banque étalés devant lui.

– Il y a des jours, mon vieux, où le soleil brille, lui dis-je ; d'autres, où c'est la pluie, le tonnerre, les éclairs. Tu es tombé aujourd'hui sur un jour d'orage. Il faudra bien que tu sortes de la caisse et mieux vaut que ça se fasse sans violence. À ton procès, le juge en tiendra compte.

– Y songes-tu, Claude ?! Laisser 300 000 $! Quel beau voyage on pourrait faire avec tout cet argent !

– N'y pense plus, mon vieux, c'est trop tard. Il y a 200 policiers dehors.

Malgré le risque, j'avais été franc avec lui ; je ne lui avais laissé aucun espoir, mais il hésitait encore à la pensée de ses complices.

– Si tu le veux bien, rétorquai-je, nous allons trouver un moyen pour entrer en contact avec eux.

– C'est facile. Ils doivent sûrement écouter la radio pour connaître les derniers développements de l'affaire. Tu crois que je pourrais leur transmettre un message ?

– Je vais en parler à l'officier chargé de l'opération. Il ne devrait pas s'y opposer.

– Dis-leur également que je ne veux pas de photos si je sors de la caisse.

– Pas de photos ? Écoute, mon vieux, il y a près d'une trentaine de journalistes et de photographes à l'extérieur. Tu crois vraiment que la police pourrait les empêcher de faire leur boulot ? Si je te trouve une cagoule, cela t'irait ?

– D'accord, mais il ne faut pas que les *bœufs* tentent quoi que ce soit en ton absence, sinon il y aura des morts. Et puis, tu reviendras seul. Nous n'avons pas besoin de Lafleur. C'est avec toi que je veux m'entendre.

Un message destiné aux complices de Jacquemin Dumont fut transmis sur les ondes de ma station de radio. À leur premier appel, ils conseillèrent à leur coéquipier de faire pour le mieux ; au second, de me faire entièrement confiance.

– Tu vas d'abord laisser partir le directeur de la caisse populaire et la jeune fille qui a pris nos appels ; après tu enfileras ta cagoule et nous sortirons.

– Qu'est-ce que j'aurai comme sentence ?

– Maintenant, cela importe peu ; tu n'as plus le choix. Mais si tu libères les derniers otages, si tu te livres sans violence, le juge en tiendra compte.

– Bon ! qu'ils s'en aillent.

Je regardai Jean-Guy Bérubé pour lui signifier qu'il pouvait partir, mais il ne voulut pas quitter le coffre-fort en laissant l'argent hors de son abri. Furieux de sa stupidité, je l'attrapai par un bras pour le forcer à nous quitter.

Quand je me retrouvai seul avec Dumont, il me demanda la permission de contempler une dernière fois l'argent de la rançon avant notre sortie de l'établissement.

– Viens voir, me dit-il en palpant les billets de banque. Quel beau voyage j'aurais fait au Brésil ! Tout était planifié ; tout avait été prévu au quart de tour depuis un mois. Je ne suis vraiment pas chanceux.

– Que veux-tu, mon vieux, tu es tombé sur un jour d'orage…

124

Jacquemin Dumont, au fond, n'était pas un mauvais homme. Il y avait chez lui une sorte de naïveté qui, dès les premiers instants de notre rencontre, m'avait fait dire qu'il n'était pas homme à s'en prendre à ses otages. Pendant le trajet qui nous conduisait de la caisse populaire au quartier général de la police de Ville de Laval, il n'avait pas cessé de m'interroger sur le sort de Madame Bérubé et de ses deux enfants. Quand il fut mis en leur présence, à la centrale de police, il ne put s'empêcher de me dire sa joie.

– J'avais peur, avoua-t-il, qu'il leur soit arrivé quelque chose.

L'attitude de Dumont n'était toutefois pas le propre d'un criminel sans envergure que l'inexpérience rendait soucieux du bien-être de ses victimes. Dans la plupart des prises d'otages auxquelles je fus tenu d'assister, rarement les ravisseurs s'en prenaient-ils aux hommes et aux femmes que le hasard avait mis sur leur route.

Marius Corbin, par exemple, n'était pas de cette sorte d'homme qu'on peut prendre à la légère. Un mois avant de se rendre coupable d'une tentative de vol à main armée et d'une prise d'otages dans une banque de Val-d'Or, il avait fait feu en direction de cinq agents de la Gendarmerie royale du Canada, lors d'un hold-up dans la région de Vancouver.

Pourtant, de sa propre initiative, en dépit de l'échec des premiers pourparlers avec les policiers qui assiégeaient la banque où il s'était réfugié, il avait libéré, en raison de leur état, deux des six femmes qu'il tenait en otages.

Cette décision, il lui avait fallu d'ailleurs l'imposer à ses complices qui protestaient contre cette mesure.

Là encore, j'étais intervenu sans avoir cherché à imposer ma présence, comme le croyaient plusieurs policiers et nombre de mes confrères de travail. Ni rasé ni vêtu pour parader devant les caméras de la télévision, j'avais trouvé refuge à mon bureau, le vendredi 10 février 1978, pour répondre à mon courrier quand un appel de ma station de radio m'avait appris les événements qui se déroulaient à Val-d'Or. Le chef des nouvelles rageait; une station de radio rivale avait réussi à joindre par téléphone Marius Corbin trente minutes plus tôt, mais ses propres appels étaient restés sans réponse.

– Tu veux essayer à ton tour ?

Il m'était difficile de lui refuser ce service, bien que je n'appréciais guère le procédé. Depuis peu, l'expérience aidant, j'étais bien prêt à souscrire aux réflexions de François Cloutier, un ancien ministre du cabinet Bourassa qui avait vécu, en 1970, l'enlèvement, à Montréal, d'un diplomate britannique et le meurtre d'un ministre figurant au nombre de ses amis.

« Les médias ont littéralement créé l'événement, écrivait-il dans un ouvrage intitulé *L'Enjeu*. N'importe quel enlèvement aurait déclenché l'émotion mais ne serait pas nécessairement devenu une affaire d'État. L'enlèvement d'un diplomate étranger et d'un ministre l'était. Mais même ces enlèvements n'auraient pas bouleversé un pays tout entier s'ils n'avaient pas reçu l'incroyable traitement que la presse et surtout les ondes leur ont donné. D'abord, la diffusion du manifeste – il était difficile de refuser cette requête sans condamner immédiatement les otages – a eu pour résultat d'impliquer la population. C'était son but. Ensuite, les différents communiqués ont habilement entretenu le suspense et l'inquiétude. La radio les propageant, les dramatisant à l'extrême, a en quelque sorte donné une importance démesurée à ce qui se passait. Elle était partout, ne parlait que de cela, soumettait les auditeurs à un bombardement d'informations, d'analyses, d'hypothèses. Certains journalistes se sont révélés de véritables nuisances. Les uns diffusant à tort et à travers, au mépris des vies humaines qu'ils mettaient ainsi en jeu, des informations de toutes sortes, souvent erronées ; les autres se livrant à des rodéos avec les policiers à la recherche des communiqués déposés un peu partout. Là encore, la naïveté et l'inexpérience se manifestaient. C'était une véritable intoxication. J'ai connu des gens qui ouvraient en même temps radio et télévision pour ne rien perdre. Je ne crois pas exagérer. Et tout cela dans des bruits de sirène et à travers des commentaires alarmistes.

« Qu'on me comprenne bien, je suis partisan de la liberté de presse. Il faut bien admettre, cependant, que dans des

126

situations exceptionnelles une telle liberté comporte des dangers. Les événements d'octobre se seraient-ils déroulés comme ils se sont déroulés si l'on en avait moins ou mieux parlé? C'est-à-dire si on en avait parlé avec la mesure qui s'imposait. Leur importance découlait précisément de la propagande que l'on en faisait. S'est-on rendu compte que souvent, par un phénomène de contagion, on adoptait le vocabulaire même des criminels? On disait volontiers «les prisonniers politiques» comme ceux-ci, pour désigner des condamnés de droit commun ayant causé mort d'homme. On parlait aussi de l'«exécution» de Laporte, alors qu'il s'agissait d'un meurtre. J'ai entendu ces termes non seulement dans la bouche de journalistes mais dans celle de plusieurs hommes politiques. La radio s'était mise au service de l'illégalité. Il suffisait d'un coup de téléphone d'un comparse pour que les reporters accourent et se fassent les porte-parole dociles de leurs messages. Je ne souhaite pas que les médias soient l'objet d'un contrôle. Le moins qu'on puisse exiger, c'est que dans des situations dramatiques ils pratiquent une autocensure[1].»

Au fond, ce que mon chef des nouvelles me demandait de faire, c'était ce contre quoi désormais je m'élevais. Malgré mon désaccord, un désaccord dont je n'avais fait part encore à personne, je plaçai cet appel, sans pour autant songer à offrir une tribune aux trois ravisseurs.

C'est ainsi que je fis la connaissance de Marius Corbin.

À la fin de notre conversation, il voulut connaître mon numéro de téléphone.

– Et pourquoi donc?

– Il se peut que j'aie besoin de toi.

Je fus sur le point de refuser, mais sachant ce qu'il avait l'intention d'exiger en échange de la libération des quatre femmes qu'il détenait, je crus plus sage de céder à sa demande. Au premier abord, sa demande paraissait acceptable; n'allait-il pas proposer que deux policiers de la Sûreté municipale de Val-d'Or se livrent pour prendre la place des employées de la

---

1. François Cloutier, *L'Enjeu*, Montréal, Stanké, 1978, p. 108-109.

banque ? Mais encore fallait-il savoir que parmi ceux dont il souhaitait la présence se trouvait l'agent Jean-Marie Letarte qui avait abattu, le 12 mars 1976, au cours d'un hold-up, un certain Mario Proulx, un ami de Marius Corbin.

La police refuserait cet échange. Que ferait alors Marius Corbin ?

Je n'eus pas à attendre longtemps son appel.

— Peux-tu venir à Val-d'Or ? Mon avocat est déjà en route, mais j'aimerais que tu sois là aussi.

— Malheureusement, je ne peux y aller rapidement sans la collaboration de la police, et pour cela il faudrait que j'obtienne leur accord.

— Qui peut t'accorder cette permission ?

— L'inspecteur en chef Robert Therrien du Service de recherche du Bureau des enquêtes criminelles.

— Ne bouge pas. Je vais l'appeler.

L'inspecteur en chef Robert Therrien avait rappelé lui-même en m'invitant à me rendre au quartier général de la Sûreté du Québec où un hélicoptère devait s'envoler vers Val-d'Or avec, à son bord, ses deux principaux collaborateurs, le capitaine Claude Quinn et le sergent Marcel Sainte-Marie, surnommé *Sweet*.

Quand je fis mon entrée dans les bureaux de l'Escouade des crimes contre la personne, les membres du Groupe d'intervention tactique allaient et venaient, d'une armoire à l'autre, à la recherche de leur équipement : mitraillettes, fusils, gilets pare-balles, etc. ; l'un d'entre eux de la section d'assaut, qui n'appréciait guère ma présence sur la scène des opérations, s'écria à l'intention de ses camarades :

— Voilà Poirier ; nous l'aurons, cette fois encore, dans les jambes.

« Oui, me dis-je, ce n'est pas cette fois encore que tu pourras faire une douzième entaille à la crosse de ton fusil. »

Je tins promesse.

Malgré sa présence à Val-d'Or, le Groupe d'intervention tactique resta à l'écart ; il ne fut pas nécessaire de faire appel à ses services, Marius Corbin et ses complices acceptant finalement de libérer leurs otages après avoir obtenu l'assurance qu'ils ne seraient pas abattus et que leur comparution en cour se déroulerait dans la métropole.

À quatre reprises, j'avais été demandé sur les lieux d'une prise d'otages; quatre fois, les ravisseurs avaient agi spontanément par crainte de la police. Marius Corbin exigea même que des photos démontrant qu'il ne portait aucune trace de coups sur le corps soient prises avant sa sortie de la banque.

– C'est le seul moyen que j'aie trouvé, m'avait-il dit, pour ne pas être brutalisé pendant mon interrogatoire.

Peur d'être brutalisé, peur d'être abattu, les motifs variaient peu d'une prise d'otages à une autre; mais jamais, jusqu'à ce que je fasse la connaissance de Robert Brown, je n'avais connu de criminel qui accepte de mourir plutôt que de connaître à nouveau l'enfer de la prison.

Partie III

Je suis au bout de mon chemin. À mon âge, un homme fait souvent un retour sur lui-même. Il regarde derrière lui, la vie qu'il a connue, les gens qu'il a aimés, ce qu'il a fait, puis, s'il croit connaître de meilleurs jours, il ne désespère pas, quelle que soit sa situation présente. Dans le cas contraire, que peut-il attendre d'autre de la vie : une plus grande misère, la solitude ? Non! Je ne m'en sortirai jamais. Je suis marqué. J'ai déjà fait dix ans de prison ; je n'y remettrai plus les pieds. Pas une semaine, pas une journée, pas même une heure. J'ai décidé que ma vie prenait fin aujourd'hui.

Robert Brown

Chapitre 11

Jusqu'à ma mort, jusqu'à mon dernier souffle, le souvenir de Robert Brown vivra en moi.

Pourtant, je le connaissais à peine. Quand je le revis dans la salle de repos du poste de police du quartier de Sainte-Dorothée, à Laval, menottes aux mains et chaînes aux pieds, j'avais perdu jusqu'au souvenir de notre première rencontre.

– Le nom de Robert Brown, Albert-Robert Brown, te dit-il quelque chose ? m'avait demandé le sergent Marcel Sainte-Marie, avant de me conduire auprès de lui.

– Non ! mais tu sais, je n'ai pas les idées très claires ce matin.

Il m'avait tiré hors du lit vers 5 h 30, pour me prier de le rejoindre au poste de police de Sainte-Dorothée. Au ton de sa voix, j'avais deviné qu'un événement grave s'était produit, un enlèvement sans doute, puisque ce genre d'affaires lui était généralement confié. Aussi n'avais-je pris ni le temps de me raser ni même celui de déjeuner, pour être au plus tôt à ses côtés. Après sa première question, à laquelle j'avais été incapable de répondre, et devant la mine soucieuse qu'il avait affichée, j'avais eu le sentiment de m'être hâté en vain.

– Est-ce si important ? lui avais-je demandé, tout en fouillant frénétiquement les moindres replis de ma mémoire.

– Non ! mais cela aurait peut-être expliqué certaines choses. Tu ne te souviens pas d'un jeune gars qu'Albert Lysacek avait blessé d'une balle à la tête, au cours d'un hold-up ? Il y a plus de dix ans de ça, maintenant.

– Le vol s'était déroulé à Montréal ?

– En banlieue, à Ville d'Anjou !

– Ils étaient trois jeunes ? Ils avaient assommé le directeur avant de fuir sans rien emporter ?

– Tout juste.

Le souvenir d'un jeune homme maigrichon, aux yeux tristes, blessé, vaincu, mais qui avait conservé toute sa fierté, m'était subitement revenu. J'avais revécu en un instant la scène qui s'était déroulée à la centrale de police : les photographes présents s'étaient précipités pour mitrailler le jeune trio. Plutôt que de me joindre au mouvement général, j'avais demandé la permission avant de prendre ma photo pour le compte d'un hebdomadaire auquel je collaborais depuis peu.

– Pourquoi me parles-tu de lui ? avais-je encore demandé. A-t-il un rôle à jouer dans l'affaire qui t'occupe présentement ?

– Il est ici, dans une cellule au sous-sol. Je dois te conduire à lui ; il veut te parler.

Des policiers, armés de mitraillettes et de fusils, faisaient les cent pas dans le garage du poste de police. Les yeux ivres de sommeil, la barbe longue et les traits tirés, ils me jetèrent un regard sans aménité quand je les croisai, en compagnie du sergent Sainte-Marie qui, insouciant de la présence de ses confrères, résumait à mon intention les événements des deux derniers jours.

Le dimanche 1er février, vers 22 heures, trois individus, quatre peut-être, avaient kidnappé une jeune femme de 25 ans, Josée Beaulieu, devant son domicile situé rue de Normanville, à Montréal. L'enlèvement s'était produit au moment où la victime rentrait chez elle après avoir passé le week-end à la demeure de ses parents, à Lachute, où son père, Raymond Beaulieu, était directeur de la caisse populaire. Vers 1 h 50, le 2 février, un inconnu avait communiqué avec ce dernier pour exiger une rançon de 500 000 $.

M. Beaulieu avait protesté devant l'énormité de la somme, alléguant que son établissement n'avait même pas cette somme dans ses coffres, mais son interlocuteur lui avait alors fait entendre un enregistrement de la voix de sa fille. Cela avait mis fin aussitôt à toute discussion.

« Vous avez jusqu'à demain soir pour vous procurer cette somme, lui avait dit l'inconnu. J'appellerai vers 10 h 30 pour vous indiquer l'endroit où l'argent devra être déposé. »

En d'autres circonstances, peut-être M. Beaulieu aurait-il cédé au chantage, mais le montant de la rançon était tel qu'il se savait déjà incapable de réunir la somme, en un temps aussi bref. Ainsi avait-il communiqué avec la police de Lachute pour lui faire part de l'enlèvement de sa fille. Les membres de l'escouade du crime contre la personne, à la Sûreté du Québec, étaient entrés en scène peu après pour une nouvelle *opération filet*, nom de code donné à la mobilisation d'une équipe de spécialistes formés pour lutter contre la vague d'enlèvements qui frappaient les familles du personnel de direction des établissements bancaires.

Malgré les risques de l'entreprise, les policiers avaient tendu un piège aux ravisseurs, et quand deux d'entre eux s'étaient présentés vers 2 h 20, le 3 février, pour récupérer la rançon, ils avaient été capturés sans trop de mal. L'un des deux hommes, Daniel de Maisonneuve, avait été blessé à la tête au cours d'une courte chasse à l'homme. Il avait été transporté aussitôt dans un hôpital de la région, tandis que son comparse, Robert Brown, était conduit pour interrogatoire au poste de police de Sainte-Dorothée.

L'inquiétude des policiers n'avait pas cessé de croître depuis lors. D'abord ils avaient appris son identité après un rapide examen de ses empreintes digitales ; puis découvert qu'il possédait un casier judiciaire, qu'il était même en liberté depuis deux mois à peine, après avoir purgé une peine de dix ans de pénitencier.

La découverte de l'identité de leur suspect avait provisoirement mis fin à leur espoir d'obtenir, dans un très court délai, que Robert Brown dénonce ses complices et désigne le lieu où la victime était gardée prisonnière. Le spectre de l'échec les avait toutefois incités à fouiller le passé de leur suspect à la recherche d'une faille dont ils sauraient tirer parti pour l'inciter à parler. Au moment où ils allaient abandonner cette voie, apparemment sans issue, Robert Brown, à leur grand étonnement, avait demandé à parler aux officiers chargés de l'enquête.

– Vous voulez revoir la fille vivante ? avait-il demandé au caporal Jacques Pothier et au caporal Jacques Marceau, stupéfaits du cynisme qu'affichait Robert Brown, à un moment où eux-mêmes désespéraient de découvrir la moindre piste. Malgré leur hâte d'apprendre ce que Robert Brown avait à leur dire, ils s'étaient abstenus de faire montre de leur intérêt pour que le suspect ne prenne pas avantage de la situation.

– Bon ! Ne dites rien si vous préférez, mais sachez que je ne tiens pas plus que vous à ce qu'elle meure. Et si je ne donne pas signe de vie bientôt, ses minutes sont comptées.

– Qu'est-ce que tu veux en échange ? avait demandé le caporal Marceau en se gardant bien de laisser deviner son trouble.

– Oh ! pas grand-chose… deux ou trois ans de rémission de peine. C'est peu, mais vous ne pouvez pas savoir ce que cela représente pour un gars qui vient tout juste de faire dix ans derrière les barreaux.

– Ça pourrait s'arranger…

– Ce n'est pas tout ; je peux vous garantir que ceux qui détiennent Josée Beaulieu la libéreront sans lui faire le moindre mal, mais ne comptez pas sur moi pour que je vous donne leur nom. Vous vous tromperiez de gars.

– Pour l'instant, avait déclaré le caporal Pothier, seule compte la vie de Josée Beaulieu.

– Bon ! Je veux bien vous aider alors. Faites venir Claude Poirier et laissez-moi sortir avec lui. Il faudra me promettre que nous ne serons pas suivis. Si vous tenez votre parole, je vous rappellerai à 9 h 30 pour vous dire où vous trouverez la jeune femme.

Cette demande leur paraissait inacceptable, mais avaient-ils le choix ? Robert Brown refuserait de négocier tout autre arrangement ; jamais il n'accepterait de confier à un tiers le

138

numéro de téléphone de ses complices. Le risque pour lui était trop grand.

De guerre lasse, les deux policiers avaient finalement accepté de soumettre la demande à leurs confrères; le sergent Marcel Sainte-Marie s'était montré favorable à la proposition de Robert Brown, mais la plupart des membres de l'escouade du crime contre la personne s'étaient opposés vivement à la libération du suspect. À leurs yeux, le risque était grand qu'il ne profite de l'occasion pour disparaître dans la nature. Le débat s'était donc éternisé, chacun arguant de son expérience personnelle pour accepter ou rejeter l'offre du suspect. La fatigue aidant, la discussion s'était envenimée et les conflits de personnalités avaient refait surface sous le fallacieux prétexte des empiétements de juridiction entre les diverses escouades. Pour couper court à ces vaines querelles, le sergent Sainte-Marie qui n'espérait plus obtenir l'assentiment de ses confrères de l'escouade du crime contre la personne avait décidé de prendre seul la décision, au risque de voir sa position future compromise par un échec.

– Allez dire à Brown qu'on accepte sa proposition. Je vais aller appeler Poirier.

Dans la salle de repos du poste de police de Sainte-Dorothée, deux policiers montaient la garde auprès de Robert Brown qui, tourné vers la fenêtre, semblait guetter mon arrivée. Ses traits tirés et ses vêtements défraîchis me firent d'abord mauvaise impression. Comment la police pouvait-elle faire confiance à un tel individu? Puis il me sourit. Je me souvins aussitôt de ce regard un peu triste qui m'avait ému, dix ans plus tôt, en un pareil lieu, en des circonstances tout aussi dramatiques. Ce sourire était sans malice, comme j'en avais gardé le souvenir; il donnait à Robert Brown cette tête de bon gars, un peu naïf, qui m'avait tant frappé jadis, alors qu'il venait de se rendre coupable d'un vol à main armée et d'une tentative de meurtre.

Je ne sais pourquoi, je fus sensible à la franche amitié qui émanait de son sourire, à la confiance que je croyais y lire. Je m'avançai vers lui et, spontanément, je lui tendis la main sous le regard réprobateur de ses gardiens.

Robert Brown, sans se départir de son sourire, exhiba ses menottes.

– Détachez-le, commanda le sergent Sainte-Marie aux hommes de l'escouade du crime contre la personne, avant de rappeler à Robert Brown l'engagement qu'il avait pris. Je compte sur toi, Robert; j'attends ton appel à 9 h 30, comme promis.

– Je tiendrai ma promesse. Ne t'en fais pas.

– Bonne chance alors!

Le sergent Sainte-Marie cachait mal son inquiétude. Au dernier moment, il hésitait à nous laisser partir. Il était encore temps, devait-il se dire; il pouvait encore nous refuser sa confiance, mais le voyant sur le point de céder à ses craintes, je hâtai le départ. Il nous suivit docilement jusqu'au garage; toutefois, il ne put s'empêcher de me dire, en apercevant certains policiers particulièrement hostiles à la libération de Robert Brown:

– Je compte sur toi, Claude, pour que tout se passe bien...

Chapitre 12

Je roulai, au hasard, dans les rues de Laval. Brown se taisait; sans doute avait-il compris pourquoi je n'avais pas demandé qu'il m'indique la route qu'il me fallait suivre. Il craignait lui aussi que des policiers se soient lancés sur nos traces.

– Tu penses que nous sommes suivis? me demanda-t-il en regardant, par la lunette arrière, une voiture qui nous suivait depuis quelques minutes.

– Je ne sais pas. Peut-être...

Le sergent Sainte-Marie m'avait fait la promesse du contraire, mais qui pouvait savoir s'il tiendrait parole? À la suggestion des membres de l'escouade du crime contre la personne, ses supérieurs pouvaient même avoir exigé une filature discrète, sous le prétexte de protéger ma vie ou, encore, pour découvrir sans retard le repaire des ravisseurs.

– Je ne leur fais pas confiance, me dit Robert Brown comme s'il avait deviné le cours de mes pensées. Tu sais qu'ils ne voulaient pas t'appeler. Ils m'ont proposé un avocat, celui de mon choix, mais je ne leur fais pas davantage confiance. Toi, au moins, tu as fait tes preuves. Tu ne t'en souviens peut-être pas, mais nous nous sommes déjà vus.

– Oui! je m'en souviens très bien... Il y a longtemps de ça...

– Très longtemps. Dix ans maintenant, et ces dix ans je les ai passés en prison. Le juge m'avait condamné à quatorze ans de réclusion, mais j'ai obtenu une rémission de peine pour bonne conduite. Il aurait mieux valu que je demeure en dedans. Tu t'imagines, cela ne fait pas deux mois que je suis sorti et me voilà embarqué dans une histoire qui va me valoir un autre dix ans, pour sûr. J'aurai 45 ans quand je sortirai de nouveau, si je ne suis pas mort. Qu'est-ce qu'un homme peut faire à cet âge-là ? Se marier... avoir des enfants... trouver un travail intéressant. Certainement pas ! Quelle fille voudrait d'un gars qui a passé 20 ans en prison ? Tu en connais beaucoup de femmes intéressantes qui voudraient d'un gars de 45 ans... presque un vieillard, tout juste bon pour la retraite. Je ne parle pas du travail ; les jeunes, ils ont des diplômes longs comme le bras ; pourtant ils ne trouvent rien... J'ai lu tout ça dans les journaux. Alors, que pourrait faire un gars comme moi ?...

La conversation prenait un tour imprévu. J'avais d'abord prêté une oreille distraite à ses propos, puis je m'étais pris d'intérêt pour ses confidences, réalisant trop tard le danger de le laisser sombrer dans le désespoir. Qu'arriverait-il alors ? Tenterait-il de fuir pour échapper à son sort ? Chercherait-il à joindre ses amis pour faire une nouvelle tentative auprès de la famille Beaulieu, en exigeant, cette fois, que la police soit tenue à l'écart ? Peut-être se dirait-il qu'il n'avait plus rien à perdre, que mieux valait tout tenter plutôt que de finir ses jours dans la solitude, dans le dénuement, dans le désespoir le plus total.

« Personne n'a donc prévu cela ? » me dis-je, certain maintenant que Robert Brown, qui s'était tu, allait, d'un instant à l'autre, m'ordonner d'arrêter la voiture pour fuir hors d'atteinte des policiers. Pourtant, quand il reprit la parole, ce fut pour me demander tout autre chose :

– As-tu des cigarettes ?.... Je n'ai pas fumé depuis hier soir.

Trop heureux du cours qu'avaient pris ses pensées, je lui offris mes deux derniers paquets.

– Je te remercie, me dit-il, visiblement heureux ; en prison, ce n'est pas toujours facile de s'en procurer. Si on allait manger maintenant ; tu n'as pas faim ?

– Oui ! Je n'ai rien pris encore ce matin, mais est-ce que nous en avons le temps ?

– Bien sûr! La libération de la fille ne peut pas avoir lieu avant 9 h 30; je ne pourrai pas rejoindre mes copains avant cette heure-là!

Je stationnai devant le premier restaurant rencontré sur notre route, espérant qu'il serait peu fréquenté à cette heure de la journée. Notre arrivée toutefois ne passa pas inaperçu; un enfant avait reconnu mon automobile. Dès qu'il me vit entrer, il cria à sa mère: «C'est Claude Poirier; maman, c'est Claude Poirier.»

Les clients nous dévisagèrent; quelques-uns d'entre eux me sourirent comme s'ils avaient reconnu quelqu'un de leur connaissance, tandis que la serveuse s'approchait de notre table pour connaître ce que nous désirions manger.

– Vous ne faites pas votre émission à la télévision ce matin? me demanda-t-elle en nous présentant la carte du menu.

– Non! réussis-je à dire. J'ai pris un petit congé.

Ma réponse sembla la satisfaire.

– Qu'est-ce que vous allez prendre de bon?

– Un café seulement.

Je n'aurais pu rien prendre d'autre. Robert Brown pourtant semblait en appétit, et contrairement à ce que j'avais craint, il trouvait plaisant de se trouver en compagnie de quelqu'un de «connu».

– Regarde-les tous; ils meurent d'envie de venir te parler; ils voudraient bien être à ma place.

– Tu sais, avec la télévision, le premier imbécile venu devient une vedette.

– Ne dis pas ça; si les gens t'aiment, c'est parce que tu fais du bon travail. Je ne peux pas te regarder à la télévision, mais je lis tous les articles que tu signes dans les journaux et je t'écoute à la radio. Mon Dieu! tu n'arrêtes donc jamais. Tu dois travailler nuit et jour.

– N'exagérons rien. Je dors comme tout le monde.

– C'est vrai qu'avec le métier que tu fais un gars ne craint pas de se dépenser sans bon sens. C'est important de faire ce qu'on aime dans la vie.

– Ce n'est pas un métier qui est toujours rose.

– Ne me raconte pas d'histoires, dit-il en souriant, avant de me rappeler que j'avais été juge, au cours de l'été dernier, du concours de Miss Monde Nue. J'aurais bien donné dix autres années de ma vie pour être à ta place.

Il redevint songeur.

– Sais-tu combien cela fait d'années que je n'ai pas touché à une femme? Dix ans! C'est long, dix ans, quand on est jeune et plein de vie. Souvent, j'ai cru devenir fou à force de revivre toujours ma dernière nuit avec mon amie. Le pire, c'est qu'avec le temps mes souvenirs se faisaient moins précis. C'est à peine maintenant si je peux me rappeler les traits de son visage; ils se confondent avec ceux de toutes les femmes dont je trouvais la photo dans *Playboy*. Elle est mariée aujourd'hui. Quand je l'ai appris en prison, j'ai juré de la tuer. Je lui ai fait parvenir des lettres de menaces; je lui disais que, à ma sortie, ma première visite serait pour elle, qu'elle regretterait de m'avoir trahi. Tu comprends, tant que j'avais l'illusion qu'elle m'aimait, j'avais le sentiment d'être encore un être humain, mais en découvrant qu'elle en aimait un autre, je me voyais par le fait même privé de ce qui me rattachait aux gens du dehors. Le dernier lien s'était rompu. D'une certaine façon, j'étais un mort vivant. Je savais qu'à deux pas, hors de mon tombeau, des gens pouvaient rire, courir, aimer, se marier, faire la fête, travailler, vivre quoi, mais cela m'était désormais interdit.

De l'entendre parler de ses tourments, de la vie qu'il avait connue en prison, je me faisais une meilleure idée de l'homme qu'il était. J'avais cru devoir affronter un être hargneux, amoral, retors, un sous-homme qu'un long séjour en prison aurait perverti; je découvrais un homme sensible, chaleureux, touchant.

– Je pense qu'il est temps de partir, dit-il. Tu crois que je pourrais prendre deux autres paquets de cigarettes?

– Bien sûr!

– Je n'ai pas un sou en poche…

– Cela ne fait rien. La prochaine fois, tu paieras le lunch. Où allons-nous maintenant?

– Tout près d'ici… à deux pas.

– À l'endroit où vous gardez la jeune femme?

144

– Tu es fou… Non ! non ! c'est un piège que je tends aux *bœufs*. Je veux savoir si je peux me fier à leur parole. S'ils prennent la maison d'assaut, ils en seront quittes pour le dérangement.

Mais personne ne répondit à l'adresse qu'il m'avait indiquée au restaurant. Il sonna à trois reprises sans succès ; je voulus rebrousser chemin, mais il m'incita à demeurer devant l'entrée pendant qu'il allait frapper à la porte arrière. Je profitai de son départ pour tenter de repérer des policiers parmi les passants, mais s'ils étaient sur nos traces, je ne pus en découvrir un seul. Des enfants, par groupes de deux ou trois, sac au dos ou cartable à la main, se dirigeaient lentement vers l'école. Une vieille femme, rentrant sans doute de l'église, avançait péniblement dans la neige fraîchement tombée ; elle fit halte devant la maison où j'attendais. Je crus un instant qu'elle allait m'adresser la parole, mais elle reprit sa route après m'avoir jeté un regard soupçonneux. « Les voisins doivent se demander ce que je fais là, me dis-je. Si, dans deux minutes, Brown ne revient pas, je file dans l'auto.

À l'intérieur, un chien jappait maintenant. Je fis volte-face pour regagner mon auto, inquiet de l'absence prolongée de Robert Brown, mais au moment où j'allais conclure qu'il avait filé sans demander son reste, il m'appela à voix basse.

– Viens, Claude, entre vite. Ne crains rien pour le chien… il est très gentil.

Une bête vive, aux yeux intelligents, se jeta entre mes jambes avant que je ne puisse l'éviter. Mise en joie par les caresses et les mots tendres de Robert Brown, elle bondissait de-ci de-là pour montrer sa joie à un ami retrouvé. Robert Brown devait venir souvent ici depuis sa sortie ; lui-même m'avait confié qu'il y avait laissé des vêtements propres.

En levant la tête, j'aperçus une jeune femme. Elle se tenait derrière Robert Brown ; quand elle me céda le passage pour me permettre de gagner la cuisine, je vis qu'elle portait encore une courte chemise de nuit qui dissimulait mal un corps somptueux, une chair jeune et appétissante. Son émoi sans doute l'empêcha de prendre conscience de sa presque nudité.

– Qu'est-ce que tu fais avec Claude Poirier ce matin ? demanda-t-elle à Robert Brown.

– Je te le dirai tout à l'heure ; pour l'instant, appelle tout de suite ta copine Réjeanne [1] ; elle doit être encore chez elle à cette heure-ci ; qu'elle vienne immédiatement. Je vais aller prendre une douche en attendant son arrivée.

Il disparut en direction de la salle de bains.

– Voulez-vous un café, M. Poirier ? me dit la jeune femme pour rompre la glace, après avoir fait son appel.

– Ce n'est pas de refus.

– Pouvez-vous me dire ce qui se passe ? Pourquoi Robert est-il avec vous ? Il n'a pas fait une idiotie, j'espère.

– Je pense qu'il vaudrait mieux que vous parliez avec lui d'abord.

– Je suis certaine qu'il a fait une nouvelle folie. Je lui avais pourtant dit de se tenir tranquille.

La sonnette de l'entrée interrompit ses gémissements. Elle revint en compagnie d'une jolie brunette, tout aussi émue.

– Où est-il ?

– Dans la salle de bains ; il prend sa douche.

À peine s'aperçut-elle de ma présence ; elle suivit le même chemin que Robert Brown, sans prendre le temps de se débarrasser de son manteau, et bientôt je n'entendis plus l'eau de la douche. La jeune nymphe blonde qui m'avait accueilli évitait mon regard. Je voulus l'interroger sur l'arrivante, mais Robert Brown, vêtu d'une robe de chambre en tissu éponge, apparut sur le seuil de la cuisine, visiblement mal à l'aise.

– Ça t'ennuierait, Claude, si je passais quelques minutes dans la chambre ?…

– Ne t'occupe pas de moi ; j'ai de quoi lire, dis-je en exhibant un exemplaire d'un journal du matin.

L'horloge dans la cuisine marquait 8 h 45 ; à 9 h 20, il n'était toujours pas sorti de la chambre à coucher. J'avais relu trois fois le journal, jetant parfois un regard à la jeune femme qui prenait un café à la table. Depuis l'arrivée de son amie,

1. Nom fictif.

146

elle ne m'avait plus adressé la parole, comme si elle me tenait rigueur de mon silence, mais cela m'importait peu. J'avais bien d'autres soucis en tête. Je pensais à la jeune otage ; je songeais au sergent Sainte-Marie qui devait déjà être près du téléphone. Je regardai à nouveau l'horloge : 9 h 23. J'eus soudainement très chaud. J'enlevai mon manteau, mais cela ne fit guère de différence. Je repris le journal. 9 h 27. « Il faut que je fasse quelque chose », me dis-je, mais j'étais incapable de lutter plus longtemps contre l'angoisse qui m'étreignait. Qu'arriverait-il si nous ne donnions pas signe de vie au sergent Sainte-Marie ? Et les copains de Brown ? Ils devaient s'inquiéter maintenant.

9 h 31. La porte de la chambre s'ouvrit ; la jeune amie de Robert Brown était seule.

– Est-ce qu'il y a du danger ?… Il m'a tout raconté…

– Ne dites rien, l'interrompis-je. Je ne veux pas savoir ; cela vaut mieux pour tout le monde. Dites-lui seulement qu'il se hâte. Nous allons être en retard.

– J'arrive, Claude, cria-t-il de la chambre.

J'étais tendu, nerveux et lui, si calme… jusqu'à se soucier de sa mise.

– Des chaussettes bleues avec un complet brun, ce n'est pas très élégant. Donne-moi une minute encore, le temps que je trouve quelque chose de plus seyant.

En un pareil moment, comment pouvait-il accorder de l'importance à de tels détails, comme si la réussite de notre entreprise dépendait du soin apporté à sa mise ? Avait-il oublié que la vie de la jeune femme dépendait de sa promptitude à joindre ses complices, du moins était-ce le langage qu'il avait tenu aux policiers et, chose étrange, pas un instant, il ne me vint à l'esprit qu'il pouvait avoir menti.

Quoiqu'il m'en coûtât, je devais pourtant me taire. Il était encore le seul lien qui me rattachait à Josée Beaulieu ; lui seul pouvait obtenir sa libération. Pouvais-je prendre le risque de perdre, de le blesser en laissant deviner le peu de cas que j'accordais à ses promesses, les doutes que j'entretenais à son endroit ? Il m'avait fait confiance ; agir autrement à son endroit, n'était-ce pas briser le lien fragile qui s'était établi entre nous, au cours des dernières heures ?

Je m'obligeai à ne plus regarder l'heure.

Toutefois, quand Robert Brown revint dans la cuisine, je ne pus m'empêcher de lever les yeux sur l'horloge qui marquait 9 h 35.

Il n'y avait plus de temps à perdre, mais mon compagnon devait encore faire ses adieux aux deux jeunes femmes. Il embrassa celle que je connaissais sous le nom de Réjeanne, avant de s'adresser à la jeune nymphe blonde :

– J'ai conclu une entente avec la police, Réjeanne t'expliquera, et cette entente, je compte la respecter. Claude va t'appeler tantôt ; fais tout ce qu'il exigera de toi.

J'avais repris le volant d'un cœur plus serein mais, contrairement à mon attente, Robert Brown n'avait plus rien dit de ce qu'il comptait faire. Il agissait comme s'il n'y avait plus rien à faire pour la jeune otage.

– Si on prenait un verre ?

Je ne dis rien ; pourtant j'étais à bout, complètement affolé à l'idée que nous n'avions pas encore donné de nos nouvelles au sergent Sainte-Marie. Que devait-il penser ? Quels ordres se préparait-il à donner pour mettre un terme à cette équipée apparemment sans but ?

– Tout est fermé à cette heure de la journée, lui dis-je un peu sèchement.

– Alors, allons acheter une bouteille de whisky. Nous pourrons prendre un verre en attendant la fille.

– Quand aurons-nous de ses nouvelles ? lui demandai-je, et puis, n'y tenant plus : Tu as vraiment l'intention de parler à tes copains ?

– Qu'est-ce que tu as, Claude ? Qu'est-ce qu'il t'arrive ? Tu n'as plus confiance en moi maintenant ?

– Non, mais pourquoi tu n'as pas appelé tes copains comme tu l'avais promis à Sainte-Marie ?

148

– Ou tu me fais confiance ou tu t'en vas. C'est clair. J'aime pas qu'on doute de ma parole, dit-il visiblement déçu de mon attitude.

– Tu ne m'as pas compris. Ce que je pense importe peu finalement et si j'avais eu le moindre doute à ton égard, je ne serais pas encore avec toi à cette heure, mais songe que les policiers peuvent penser tout différemment. Tu devais les appeler à 9 h 30 et il sera bientôt 10 h. Il ne faut pas être sorcier pour deviner ce qu'ils se disent en ce moment.

– Bon ! si tu crois qu'il vaut mieux appeler Sainte-Marie, je vais le faire.

Je pénétrai sur le terrain de stationnement d'un vaste centre commercial.

– Pendant que tu vas parler avec Sainte-Marie, je vais aller acheter la bouteille de whisky.

Mais à peine avais-je dit cela qu'une autopatrouille de la police fonçait vers nous.

– Je le savais… Ils nous suivaient…

– Reste tranquille, Robert ! Laisse-moi faire.

Une deuxième voiture de police avait fait son apparition dans le stationnement. Un agent quitta le véhicule pour venir vers nous ; il m'avait reconnu.

– Qu'est-ce qui vous amène chez nous d'aussi bonne heure ? J'espère que vous n'êtes pas venu spécialement ici pour ce qui arrive ; c'est probablement un système d'alarme défectueux.

– Ah ! bon, d'accord. Je passais tout près quand j'ai entendu l'appel. Je suis venu aux nouvelles.

Robert Brown évitait le regard du policier. À demi rassuré, il n'osait pas encore respirer.

Je roulai lentement vers l'entrée du centre commercial.

– Il faut partir d'ici, dit-il.

– Ce serait imprudent. Il vaut mieux faire comme si de rien n'était. Dès que tu auras parlé à Sainte-Marie, nous n'aurons d'ailleurs plus rien à craindre.

Je stationnai ma voiture devant une cabine publique, mais il refusa de me laisser partir.

– Je veux que tu parles à Sainte-Marie, me dit-il.

L'officier ne fut pas long à répondre.

– *Sweet*, c'est toi ?

– Oui ! Tout va bien, Claude ?

– Je suis avec Robert en ce moment. Nous allons avoir des nouvelles de la fille dans quelques minutes. Je te le passe ; il va te le confirmer lui-même.

– Je t'ai donné ma parole, Sainte-Marie, et je la tiendrai.

Robert Brown n'en dit pas plus. Il raccrocha aussitôt. Des gens nous regardaient, mais je faisais celui qui n'avait rien vu. J'entraînai mon compagnon devant un magasin de la Régie des alcools, mais, à cette heure de la journée, l'établissement était fermé.

– Nous allons acheter de la bière, proposai-je ; ça te va ?

– Vaut mieux ça que rien du tout, comme en prison.

Je me hâtai de faire cet achat pour éviter les questions indiscrètes des badauds que la vue de mon auto avait alertés ; en reprenant ma place au volant, je ne pus échapper à leurs questions.

– Que se passe-t-il, M. Poirier ? demandèrent les plus hardis.

Mais je fis la sourde oreille, pour ne prendre aucun retard.

Robert Brown m'avait fait une première révélation. Nous devions nous rendre maintenant au Motel 640, à Saint-Eustache, où ses complices devaient l'appeler au cours de la prochaine heure. Il ne savait pas trop quand, mais il ne voulait prendre aucun risque. Il m'avait appris également que tous les appels faits au père de la victime avaient été placés de cet établissement, choisi en fonction du site.

L'endroit était retiré, merveilleusement bien choisi, à la croisée de deux grandes autoroutes. De plus, le lieu était peu fréquenté, du moins par les gens de la région, et ceux qui s'y hasardaient, soucieux de passer inaperçus, n'avaient que faire de leurs voisins.

– Vous n'êtes pas à la télévision ? ne manqua pas de me demander la fort jolie hôtesse du Motel 640 quand je me présentai seul, à la réception.

– Non ! dis-je, ennuyé d'avoir été reconnu. Je voudrais une chambre.

150

– Une chambre, d'aussi bon matin! Avec un ou deux lits?
demanda-t-elle avec un regard en coin, soupçonnant quelque
idylle que je serais venu consommer dans ce coin discret.

Avant que je ne puisse répondre, Robert Brown fit son
apparition.

– Qu'est-ce qui se passe? demanda-t-il en manifestant une
impatience à laquelle il ne m'avait pas habitué; c'est bien long
pour avoir cette chambre? Il faut que j'appelle tout de suite...
Où est le téléphone?

– À l'extérieur, vous trouverez une cabine, répondit la
jeune femme stupéfaite.

– Passe-moi un peu d'argent, me dit Robert Brown avant
de sortir.

Sa demande fit sourire l'employée qui devait se réjouir à la
pensée de ce qu'elle aurait à raconter à ses amies : « Vous ne
savez pas pour Claude Poirier; eh bien! il n'est pas normal... »

Si elle avait été moins jolie, peut-être n'aurais-je pas tenu
compte de son opinion, mais tel n'était pas le cas.

– Où est le patron du motel?

– Il déneige l'entrée.

– Allez le chercher en vitesse! Je n'ai pas beaucoup de
temps.

Elle voulut emprunter l'entrée principale, mais je lui
suggérai de prendre un autre chemin. En courant presque, elle
disparut derrière une porte dérobée qui devait conduire à
l'arrière du motel. Elle revint peu après, en compagnie d'un
gros homme, à bout de souffle, qui, le regard méfiant, me
demanda ce que je voulais.

En peu de mots, je lui confiai ce qui m'amenait chez lui.

– Donnez-moi une chambre isolée, conclus-je; faites
déguerpir également les femmes de ménage, mais le plus
discrètement possible. On ne sait jamais. Si j'ai besoin de
vous, je vous appellerai; restez près du téléphone. Et surtout,
n'appelez pas la police; elle sait tout déjà.

La jeune femme ne souriait plus.

– Tu as ton magnétophone ? demanda Robert Brown devant la chambre numéro 6, avant de pénétrer à l'intérieur.

– Dans le coffre arrière de ma voiture.

– Prends-le ; tu en auras besoin tantôt.

Il m'attendit tandis que je prenais ce qu'il m'avait demandé, puis j'ouvris la porte de la chambre. L'endroit était propre. Un seul lit, situé au fond de la pièce. Je jetai la clé sur une chaise en parcourant la pièce du regard.

Un tableau ornait les murs blancs ; trois cavaliers franchissant une barrière dans un paysage de printemps. Dehors, il tombait une neige fine. La scène qu'évoquait le tableau me fit rêver ; j'aurais voulu que l'été soit déjà là, qu'il fasse chaud, que le soleil enjolive cette pièce triste.

– Tu veux un verre de bière ? dit Robert Brown qui avait retiré sa veste.

– Non ! répondis-je en ouvrant les rideaux qui masquaient une baie vitrée.

Tandis qu'il se servait à boire, je me dirigeai vers la salle de toilettes dont je laissai la porte entrouverte. Un bruit me fit sursauter ; sans m'interrompre, je sortis la tête. Robert Brown venait de pousser le verrou et il tirait les rideaux.

– Qu'est-ce qui t'arrive ?

Il se tourna lentement vers moi... un revolver à la main.

– C'est ce matin, Poirier, que tout se termine...

Chapitre 13

Le temps d'une éternité, je restai sans voix : « Qu'attend-il pour tirer ? » trouvai-je la force de me dire, vidé de toute énergie, incapable de réagir pour échapper à la mort.

Quelqu'un, et pourtant ce ne pouvait être que moi, interrogea Brown :

– Qu'est-ce que tu veux dire ? Qu'est-ce que tu vas faire ?

– Jusqu'à présent, tu as tenu tes promesses ; je voudrais m'assurer que tu ne m'empêcheras pas d'accomplir ce que je compte faire. Sinon, au lieu d'un cadavre, la police en découvrira deux.

– Pourquoi dis-tu ça, Robert ? Je ne comprends rien à ton charabia. Explique-toi clairement, pour l'amour de Dieu.

– Il arrive, mon cher Claude, que je suis au bout de mon chemin. Tu vois, à mon âge, un homme fait souvent un retour sur lui-même. Il regarde derrière lui la vie qu'il a connue, les gens qu'il a aimés, ce qu'il a fait, puis s'il croit connaître de meilleurs jours, il ne désespère pas, quelle que soit sa situation présente. Dans le cas contraire, que peut-il attendre d'autre de la vie ? Une plus grande misère, la solitude. Non ! Vois-tu, je ne m'en sortirai jamais. Je suis marqué. J'ai déjà fait dix ans de prison ; je n'y remettrai plus les pieds. Pas une semaine, pas une journée, pas même une heure. J'ai décidé que ma vie prenait fin aujourd'hui.

– Qu'est-ce qui te prend ? Ça ne va pas ? Tu es devenu fou ? dis-je avec stupeur, n'osant croire encore qu'il avait vraiment l'intention de mettre fin à ses jours. À demi rassuré sur mon propre sort, j'avais retrouvé tout mon aplomb. J'aurais voulu m'approcher de lui, mais la prudence me dictait de maintenir entre nous une certaine distance pour éviter qu'il ne me croit capable d'une traîtrise.

— Ne fais pas l'idiot, dis-je encore. Tu seras condamné à cinq ans de prison et, après avoir purgé cette peine, tu seras libre ; ce n'est rien cinq ans dans la vie d'un homme. On ne se tue pas pour ça.

— Bien au contraire et c'est la décision la plus sage. Ne crois pas que j'aie pris cette décision sans réfléchir. La décision, je l'ai prise cette nuit, dans la cellule du poste de police, mais il fallait quelqu'un pour me sortir des griffes de la police. Je t'ai choisi, sachant que je pouvais te faire confiance et que tu ne ferais pas obstacle à mon projet. En organisant cette affaire d'enlèvement, je connaissais tous les risques ; je savais également ce qu'il adviendrait de moi si l'affaire échouait. Oui ! au fond, j'avais pris cette décision depuis bien longtemps. Maintenant, je dois faire face à mon destin. Le moment est venu…

— C'est une pure lâcheté, ne pus-je me retenir de dire.

— Peut-être as-tu raison après tout ; toi seul peut juger. Moi, déjà, je ne ressens plus rien. Tout m'indiffère, y compris ce qu'on peut dire sur mon compte. La vie m'a lâché bien avant que je décide de m'en défaire.

— Pourquoi parles-tu ainsi ? La vie n'est pas plus difficile pour toi qu'elle ne l'est pour d'autres. Je connais des gars dans ton cas qui n'ont pas même l'espoir de quitter un jour la prison et ils ne se tuent pas pour autant.

— C'est vrai, mais ou ils sont inconscients ou ils ont plus d'étoffe que moi. J'en connais, de ceux-là. Avec les années, ils se sont cuirassés ; rien ne peut plus les atteindre. Moi, vois-tu, je n'ai pas pu y arriver et je ne veux plus me battre. La vie ne vaut pas ça.

— Tu as connu de bons moments, pourtant !

— Tu crois que c'est suffisant pour oublier tout le reste, pour ne plus se souvenir du mal qu'on a fait ?

— Pourquoi alors avoir fait cet enlèvement ? Ça ne colle pas avec ce que tu dis.

– Quand j'en ai pris conscience, il était trop tard. Les copains comptaient sur mon aide et je ne pouvais faire faux bond, sinon j'aurais depuis longtemps tout laissé tomber. Qu'aurais-je fait de tout cet argent ? M'aurait-il servi pour *acheter* une autre vie ?

Il allait mourir parce que j'étais incapable de lui donner la réplique. Pour la seconde fois, je prenais conscience du vide de ma propre vie. S'il en avait été autrement, j'aurais pu le sauver, j'aurais su trouver les mots pour le convaincre de la folie de son geste, alors que je n'avais pu que trouver refuge dans le silence pour ne pas laisser voir ma déroute.

– Je vais te demander encore une chose avant que nous nous séparions, me pria-t-il ; je voudrais enregistrer un message à l'intention des gars qui détiennent la jeune femme. Il faut qu'ils sachent qu'ils n'ont rien à craindre, que je n'ai rien dit, ni à toi ni aux *bœufs*.

Pendant un moment, je fus sur le point de lui refuser cette dernière faveur, en espérant qu'il m'accorde un nouveau délai pour tenter de lui faire entendre raison. Mais qu'aurais-je pu dire que je ne lui avais pas dit déjà ? Et puis il y avait l'otage. Mieux valait que je consente à sa demande. Si je ne le sauvais pas, lui, la jeune femme pouvait l'être encore et cela seul devait compter à mes yeux.

Je mis en marche le magnétophone. « Tu es prêt ? »

– Oui !

– Ici, Claude Poirier. Au moment où je vous parle, je suis dans une chambre du Motel 640, à Saint-Eustache, en compagnie de Robert Brown, capturé au cours de la nuit en rapport avec l'enlèvement de Josée Beaulieu, fille du directeur de la Caisse populaire de Lachute. Robert, tu souhaites, par la radio, t'adresser à tes amis !

– Oui ! J'aurais un message à leur transmettre.

– Quel est ce message ?

– À la suite d'une entente avec le sergent Marcel Sainte-Marie, je pourrais bénéficier d'une remise de trois ans de peine si j'obtenais que vous libériez saine et sauve Josée Beaulieu.

– Tu es donc le seul à bénéficier de cette remise de peine ?

– Voilà où je voulais en venir. Comme j'ai l'intention de mettre fin à mes jours, cette entente devrait pouvoir bénéficier à mon ami Daniel de Maisonneuve qui a été arrêté, en même temps que moi, cette nuit.

– Tu t'adresses donc à tes amis, par les ondes de la station de radio, pour les prier de libérer l'otage qu'ils détiennent présentement.

– À la condition que le marché conclu avec le sergent Sainte-Marie puisse profiter à mon ami Daniel. Je voudrais également ajouter, à l'intention des policiers, que le propriétaire de la voiture dans laquelle j'avais pris place cette nuit ne savait rien de cette affaire d'enlèvement. Il s'agit de Réjean Bellemare. À l'heure actuelle, il bénéficie d'une libération conditionnelle. Je ne voudrais pas qu'il soit ennuyé avec cette histoire puisqu'il m'avait prêté sa voiture sans connaître mes projets.

– Comment tes amis sauront-ils que les policiers ont finalement accepté tes propositions ?

– Je leur demande de se fier à ta parole ou a celle de Réjeanne.

– Est-ce qu'il sera nécessaire que j'intervienne pour faciliter la libération de Josée Beaulieu, que je me rende à un endroit désigné à l'avance, par exemple ?

– Oui ! si mes amis le jugent bon.

– Une chose encore, Robert. Tu m'as annoncé tout à l'heure que tu comptais mettre fin à tes jours. Y a-t-il quelqu'un qui t'a incité à poser ce geste ?

– Non ! Cette décision, je l'ai prise seul, après avoir mûrement réfléchi. J'ai décidé qu'il était temps que je disparaisse… Tu as bien essayé de me convaincre du contraire ; tu as même promis de parler au sergent Sainte-Marie pour obtenir que la remise de peine vaille pour Daniel et moi, mais je ne veux pas retourner en prison. Je termine une peine de dix ans ; jamais je n'y remettrai les pieds.

– Je voudrais encore une fois te demander de reconsidérer ta décision. Je suis certain d'obtenir des policiers une même mesure de clémence pour ton ami Daniel.

– Je te remercie, Claude, mais j'ai 35 ans et je sais ce que je fais…

Il s'était assis sur le lit tandis que je rangeais mon matériel. Je le regardais parfois, mais je n'osais soutenir son regard. Il m'avait invité à partir et j'avais hâte maintenant de quitter la chambre, de ne plus le savoir à mes côtés, avec cette idée folle dans la tête.

– Ne diffuse pas ce message avant 11 heures, s'il te plaît, me pria-t-il quand je fus sur le point de partir. Je voudrais écrire un mot à ma mère. Quand tout sera fini, j'aimerais que tu le lui portes. Est-ce qu'il y a du papier dans la chambre ?

– Sans doute. Dans le tiroir de la commode, probablement.

– Peux-tu me prêter ton stylo ou un crayon ?

J'eus beau chercher, je ne pus le trouver.

– Ça ne fait rien ; je vais me débrouiller. Pars, maintenant, mais laisse-moi jusqu'à 11 heures, dit-il les yeux brouillés de larmes.

Je sortis lentement de la chambre. Je l'entendis encore me dire :

« Je te remercie, Claude… Tu n'as rien à te reprocher… », mais je n'écoutais déjà plus. Je n'avais qu'une idée en tête : rejoindre le sergent Sainte-Marie au plus tôt, lui demander de venir sans tarder. Peut-être obtiendrait-il de Robert Brown qu'il renonce à son projet ou peut-être même déciderait-il de passer à l'action, de désarmer mon compagnon avant qu'il ne commette l'irréparable.

Pourquoi a-t-il fallu alors que je perde un temps précieux en me rendant au poste de la Sûreté du Québec, à Saint-Eustache, plutôt que de me précipiter sur le premier appareil de téléphone ? Sans doute par lâcheté. Je voulais que quelqu'un d'autre décide de ce que je devais faire. J'étais incapable de la moindre décision : fallait-il sauver Robert Brown, malgré lui, en demandant de l'aide sans tarder, ou fallait-il, en me taisant, respecter son désir d'en finir avec la vie ?

En me rendant au poste de la Sûreté du Québec, j'avais tranché en quelque sorte en faveur de la décision de Robert Brown.

Le sergent Sainte-Marie n'avait toujours pas quitté le poste de police de Sainte-Dorothée. Il lui fallut plus d'une demi-heure avant de gagner Saint-Eustache où, en compagnie de plusieurs officiers, il décida de prendre le motel d'assaut.

Je marchais en tête. Le sergent Sainte-Marie prit position discrètement à gauche de la porte de la chambre tandis que le caporal Marceau venait par la droite. Un troisième policier, le caporal Jacques Pothier, avait été désigné pour nous couvrir.

J'avançai lentement jusqu'à la fenêtre pour regarder dans la chambre. Les rideaux avaient été entrouverts mais, sous l'effet des rayons du soleil, j'étais incapable de voir à l'intérieur. Avec ma clé, je frappai discrètement à la porte.

– Robert, c'est Claude… Robert, tu m'entends; c'est Claude!

D'abord, il n'y eut pas de réponse, comme si Robert Brown était mort déjà, puis je crus entendre: «Oui!»

– Ne fais pas ça, hurlai-je; ne fais pas de folie. Nous allons essayer de trouver une solution.

– Merci pour avoir tenu ta promesse, Claude. Merci pour tout, mais il n'y a plus rien à faire…

Un coup de feu retentit avant que Jacques Marceau ne puisse enfoncer la porte.

Robert Brown semblait dormir. Il reposait la tête sur l'oreiller, les bras le long du corps, les yeux mi-clos, comme s'il rêvait dans son sommeil.

J'étais debout, au pied du lit. Je regardais le mince filet de sang qui coulait de sa tempe, l'arme posée sur sa poitrine. Quelqu'un me parlait, mais je n'entendais pas.

– Claude, réponds-moi, criait le sergent Sainte-Marie. A-t-il donné un coup de téléphone? Bon sang, vas-tu me répondre à la fin? Calme-toi; arrête de pleurer…

Je n'écoutais pas. Je regardais le corps de Robert Brown, incapable de me faire à l'idée qu'il était mort, qu'il avait mis fin volontairement à ses jours. Il s'était tué de sang-froid, non pas comme je l'aurais cru, dans un moment d'égarement ou de folie, mais après avoir longuement pesé le pour et le contre de son geste, après avoir entendu mes objections. Près de son corps, je trouvai deux messages qu'il avait rédigés avec des allumettes dont il avait fait brûler la tête. Sur l'un d'eux, il m'avait écrit : *Claude, tu n'as qu'une parole.* Le second texte, écrit au verso d'une carte postale, était destiné à sa mère : *Adieu maman.*

Plus tard, je devais découvrir un troisième message. Il avait tracé avec des allumettes un seul mot : FIN.

Pendant quelques heures, le sergent Marcel Sainte-Marie vécut dans l'angoisse. Il ne pouvait croire que Robert Brown avait mis fin à ses jours sans raison sérieuse, seulement parce qu'il en avait assez de la vie, parce qu'il refusait de retourner en prison.

Je lui avais appris l'appel que Robert Brown avait fait à notre arrivée au Motel 640 et, dès lors, il avait conclu le pire. Pour lui, Josée Beaulieu était morte. Robert Brown, selon ses dires, avait conseillé à ses complices de s'en débarrasser pour éviter qu'ils ne soient retrouvés ou, encore, la jeune femme était morte avant son appel. Robert Brown l'avait appris et il avait jugé préférable de se donner la mort. Je ne fis rien pour le détromper; comment d'ailleurs aurait-il pu ajouter foi à mon témoignage? Moi-même, en d'autres circonstances, je n'avais pas voulu croire qu'un homme ou une femme, de sang-froid, puisse mettre fin à ses jours.

Les événements devaient heureusement lui donner tort. Josée Beaulieu fut libérée avant même la diffusion du message de Robert Brown, mais personne ne songea plus aux raisons qui l'avaient poussé à se donner la mort.

«Je ne veux pas retourner en prison, m'avait-il dit, pas même pour une semaine, une journée ou même une heure…

Je compris ces raisons, trois mois plus tard, après avoir vu ce qu'il avait voulu fuir dans la mort.

Partie IV

Depuis l'âge de sept ans, oui ! sept ans, je vais d'une prison à l'autre : de la maison de correction pour délinquants au pénitencier, en passant par l'asile psychiatrique. Pourtant, je n'étais pas fou ; enfant, je n'étais pas foncièrement méchant. On m'a appris à le devenir. Tu sais ce que m'a déclaré un juge ? J'avais 17 ans à cette époque. « Jeune homme, m'a-t-il dit, je ne veux pas que vous deveniez un criminel endurci ; je vous condamne donc à deux ans de pénitencier, non pour vous punir, mais pour que vous puissiez apprendre un métier. » Pauvre homme ! s'il savait. Pendant ces deux années je n'ai appris qu'une seule chose : la haine !

Réal Brousseau

Chapitre 14

La première chose que je vis en entrant dans le corridor, au deuxième étage du Bloc cellulaire numéro 1, ce fut la cellule… inoccupée à cette heure-là. Des murs blancs, gribouillés, tachés par les ordures ; un lit, rabattu au mur ; un seau pour les besoins naturels ; des vêtements, en désordre, jetés parmi des revues, des gobelets en plastique, des mégots de cigarette… Ni placard, ni chaise, ni lavabo, ni rien qui puisse se transformer en une arme…

– Ils vivent là-dedans 23 heures sur 24, dis-je à mon compagnon. Avais-je besoin d'en dire plus ?

Les détenus avaient éteint les lumières dans leur cellule et celles du corridor pour éviter de servir de cible aux tireurs d'élite embusqués sur le toit du pavillon administratif du pénitencier de Saint-Vincent-de-Paul ; seuls les projecteurs de la cour intérieure éclairaient notre marche parmi des débris de verre, des cannettes de boisson gazeuse, des déchets de table, et même, crus-je voir, des excréments humains.

Quelqu'un nous surveillait, mais je ne pouvais découvrir où se terrait le guetteur. D'un côté, un mur où, à intervalles réguliers, une fenêtre avait été percée ; de l'autre, l'interminable rangée de cellules, avec, de part et d'autre, une légère avancée des murs de béton pour éviter que les détenus ne puissent communiquer entre eux. Personne ne pouvait s'y dissimuler sans laisser deviner sa présence. Puis, j'aperçus un premier miroir, une chose minuscule placée en surplomb pour capter tout mouvement dans le corridor. Des yeux inquiets s'y reflétaient, des yeux où se lisaient à la fois la peur et une haine profonde, celle d'une bête rendue hargneuse par suite des mauvais traitements.

«Il n'y a plus rien d'humain dans ces yeux-là», me dis-je en jetant un regard sur le système de fermeture de la cellule; il était verrouillé. Ignorant volontairement l'homme qui s'était couché sur le sol de sa cellule, sans doute pour passer inaperçu, je poursuivis mon chemin, en longeant cette fois le mur opposé aux cellules.

Au fond du corridor, une faible lueur avait attiré mon regard; j'avançai plus rapidement, malgré les protestations de mon compagnon butant sur les déchets. Le silence des lieux, à l'exception du tohu-bohu de notre marche qui éveillait des échos sinistres dans ces lieux dévastés, ne cessait de m'inquiéter; dans cette partie du Bloc cellulaire numéro 1 où nous nous trouvions, chaque cellule pourtant semblait occupée; des ombres s'y déplaçaient silencieusement.

Quelque chose n'allait pas!

J'aurais dû entendre des cris, les injures des plus hargneux, les protestations d'innocence des *moutons*; au lieu de cela, les détenus respectaient la consigne du silence. Qui avait donné cet ordre et pourquoi, surtout, les détenus s'y conformaient-ils scrupuleusement? J'eus soudain le sentiment qu'ils préparaient quelque chose. Je voulus rebrousser chemin, mais je me heurtai à mon compagnon.

– Ça ne va pas? me dit-il, s'arrêtant à son tour. Qu'est-ce qui se passe? Où sont-ils?

– Là-bas, au fond, mais je n'osai pas lui avouer mes craintes. J'avais peur des oreilles indiscrètes. Un murmure parcourut le corridor; sans doute venait-on de renseigner les mutins sur notre apparente indécision. Il fallait faire vite. Les rassurer. Je me remis en marche sans toutefois pouvoir me défaire de mes sombres pressentiments. Je devais même afficher une certaine confiance; c'était cela ou partir, ne rien tenter pour sauver les otages. Ils ne devaient surtout pas savoir que j'avais peur d'eux; déjà, je regrettais cet arrêt dans le couloir, peut-être en avaient-ils deviné la raison, mais il était trop tard pour m'en inquiéter. J'étais devant la cellule 17. Des couvertures, liées aux barreaux, masquaient la lueur de la lampe. Malgré ma curiosité, j'évitai de regarder par les interstices. J'attendis même, à distance prudente, l'arrivée de mon compagnon avant de faire connaître ma présence.

– Réal Brousseau ! Fernand Beaudet ! C'est Claude Poirier. Je suis avec Robert La Haye…

À nouveau, j'étais plongé dans une affaire démente, une prise d'otages au vieux pénitencier de Saint-Vincent-de-Paul. Des gardiens, des jeunes, nouvellement embauchés, étaient aux mains de deux dangereux criminels dont je n'ignorais aucun des faits d'armes. En apprenant l'identité des mutins, j'avais été tenté d'offrir mes services, mais après mûres réflexions, j'avais jugé préférable de me tenir à l'écart du coup. J'étais encore sous le choc de la mort de Robert Brown ; je ne voulais plus connaître de tels moments.

Pourtant, un seul appel avait suffi à me jeter à nouveau dans l'arène, comme si ma résolution n'avait tenu qu'à l'indifférence qu'avaient affichée Réal Brousseau et Fernand Beaudet à mon égard au début de l'affaire.

– Ils veulent parler à l'avocat Robert La Haye et à Pierre Pascau, m'avait appris le directeur du pénitencier, M. Bienvenue Marcoux, au cours d'un premier reportage que j'avais fait par téléphone. J'attends, pour l'instant, l'arrivée de Me La Haye, mais je n'ai pas réussi à joindre Pascau. Des policiers se sont rendus chez lui ; il semble qu'il n'y ait personne.

– Vous parlez bien de l'animateur radiophonique ? Mais il habite dans le même immeuble que moi, au cinquième. Je fais un saut chez lui ; s'il n'est pas encore arrivé, je laisserai un message à son intention au portier pour qu'il vous appelle dès son retour.

Ma visite s'était révélée tout aussi vaine que celle des agents ; Pierre Pascau était toujours absent et le concierge ne put me dire s'il devait rentrer prochainement. Je lui avais laissé une note avant de gagner rapidement le pénitencier de Saint-

Vincent-de-Paul pour couvrir l'événement en ruminant l'étrange décision de Réal Brousseau et de Fernand Beaudet ; non pas parce que j'entretenais des doutes quant à la valeur et la compétence de mon confrère, ou que j'enviais le sort qui lui était échu, mais parce que sa désignation pouvait indiquer que je m'étais mérité la défaveur de l'un des deux mutins ou même des deux. J'avais fouillé ma mémoire, évoquant les événements récents pour en trouver la raison, mais rien ne m'avait paru suffisant pour expliquer ce revirement imprévu. Me Robert La Haye lui-même, en me saluant à son arrivée dans la salle de presse, m'avait fait part de son propre étonnement.

Ni grand ni particulièrement costaud, son maintien, sa distinction, sa tenue en imposaient. À peine sa barbe et sa moustache faisaient-elles oublier son jeune âge que des traits réguliers accentuaient, mais malgré son peu d'expérience je n'ignorais pas qu'il était tenu pour l'un des meilleurs criminalistes au Canada. Coupant court aux présentations, il m'avait demandé de l'accompagner au Bloc cellulaire numéro 1 où s'étaient retranchés les mutins.

– Personne n'a fait appel à mes services, lui avais-je répondu ; je ne suis ici que pour couvrir l'événement.

Il m'avait laissé pour rejoindre Bienvenue Marcoux sans même me dire au revoir, sans doute pour aller débattre de cette question avec le directeur du pénitencier puisque, moins de dix minutes après son départ, une jeune femme m'avait prié de la suivre aux bureaux de l'administration, situés au troisième étage.

– J'ai demandé à te voir parce que tu connais Réal Brousseau et, de plus, tu es le seul parmi nous à avoir de l'expérience dans de telles affaires, m'avait-il dit sans ambages avant de laisser au directeur le soin de me présenter à ses principaux collaborateurs. Les présentations faites, il avait repris la parole pour m'interroger sur le second émissaire.

– Qui c'est, Pierre Pascau ? C'est la première fois que j'en entends parler.

– En 1970, pendant les *événements d'octobre*, il animait une émission de lignes ouvertes à la radio, tu ne t'en souviens pas ? Les ravisseurs de James Richard Cross et du ministre Pierre Laporte l'avaient choisi pour faire connaître leur message.

– Mais il n'est jamais intervenu directement dans une prise d'otages ?

– Je ne le pense pas, mais il peut certainement le faire. C'est un gars bien.

– Peut-être, mais deux émissaires sans expérience, c'est trop. Je connais Beaudet ; je l'ai défendu dans l'affaire du Gargantua, mais j'ignore ce qu'il peut être devenu depuis son incarcération. Quant à Brousseau, je ne sais que ce que les journaux ont bien voulu révéler quand tu es intervenu pour le faire sortir de cette station-service de la rue Jarry. Je me sentirais certainement mieux si tu étais avec moi ; les deux gars te connaissent et tu as déjà vécu ce genre d'aventures.

– Je veux bien t'accompagner, mais pas avant d'avoir obtenu l'accord des deux mutins.

Je n'avais voulu prendre aucun risque. Depuis la conclusion heureuse de la prise d'otages de la station-service, j'étais sans nouvelles de Réal Brousseau. Il avait été condamné à huit ans de réclusion et, malgré sa promesse, il ne m'avait pas écrit une seule fois. Peut-être mon témoignage, lors de son procès, lui avait-il déplu ? Fernand Beaudet pouvait également avoir fait sentir son influence ; lui, plus que Réal Brousseau, avait d'excellentes raisons de m'en vouloir. Comme tous mes confrères journalistes, j'avais écrit, au lendemain du terrible massacre du Gargantua, qu'il était au nombre des suspects, que la police détenait une preuve indiscutable de sa complicité dans cette affaire. Peut-être m'en voulait-il encore, bien que la justice n'avait pu le trouver coupable. Avant de m'aventurer auprès des deux hommes, je devais avoir la certitude qu'ils m'avaient gardé toute leur confiance. Agir autrement, c'était à coup sûr, m'exposer inutilement.

– Alors, venez, avait dit Bienvenue Marcoux qui s'était tu jusqu'à cet instant.

Le Bloc cellulaire numéro 1, parfois désigné sous le nom d'Unité spéciale de correction, est construit au centre du pénitencier, loin des pavillons réservés aux prisonniers jugés peu dangereux. Le bâtiment de deux étages, construit en 1968, accueillait les fortes têtes, les criminels indociles ou jugés dangereux et les *maîtres ès lettres dans l'art de la fugue*. Il fut réputé à toute épreuve jusqu'à la spectaculaire évasion de Jacques Mesrine, le 21 août 1972.

«Comment un tel exploit avait-il été rendu possible?» m'étais-je dit en apercevant la masse sombre du sinistre bâtiment; puis, du haut d'un mirador, un gardien avait éclairé la cour intérieure. J'avais pu ainsi découvrir l'ampleur des mesures prises pour faire de ce quartier une institution à sécurité maximum. Des murs d'une hauteur démesurée, des grillages partout, des barreaux aux fenêtres, une porte blindée donnant sur une salle, parfaitement étanche, tenue sous le contrôle constant de gardiens retranchés derrière des vitres à l'épreuve des balles. Une prison dans la prison.

– Ouvrez, avait ordonné Bienvenue Marcoux à deux gardiens armés de fusils, avant de demander la présence de Larry Sauvé, le porte-parole des mutins. Quand il avait été en notre présence, le directeur lui avait fait part de l'absence de Pierre Pascau.

– Si Brousseau et Beaudet sont d'accord, Claude Poirier pourrait le remplacer.

– Bon! je vais leur transmettre cette proposition, mais je pense qu'ils ne s'y opposeront pas, avait déclaré le détenu. C'est moi qui leur avais suggéré de faire appel à Pascau...

Malgré ses dires, je devais apprendre plus tard que l'idée n'était pas de lui; la suggestion, transmise aux criminels dits de droit commun, était venue du premier étage du Bloc cellulaire numéro 1 où les terroristes du Front de Libération du Québec étaient détenus depuis peu.

Après une courte visite au deuxième étage, où une vingtaine de gardiens montaient la garde devant la porte conduisant aux cellules, il était revenu porteur de la réponse de Réal Brousseau et de Fernand Beaudet.

– Ils sont d'accord. Ils sont même très contents d'apprendre que tu sois là, Claude. Ils ont dit qu'il valait mieux que ce soit toi, d'ailleurs, puisqu'ils te connaissent bien tous les deux et qu'ils peuvent te faire confiance.

– Quand pourrons-nous les voir? avais-je demandé.

– Pour l'instant, ils étudient le texte de leurs revendications; ils comptent vous appeler bientôt pour vous le remettre, avait répondu le plus sérieusement du monde leur porte-parole, comme si la chose était toute naturelle.

«Qu'est-ce que c'est que cette histoire de revendications? m'étais-je dit; c'est nouveau, ça!

– Des revendications?.... Ils revendiquent quoi? avais-je voulu savoir.

– Je ne sais pas! Ils ne m'ont rien dit. Moi, je ne sais rien; il faudra le leur demander...

En entendant ce mot, je ne sais pourquoi j'avais pensé à Richard Blass, à l'action qu'il avait entreprise peu avant sa mort pour obtenir, en menaçant du pire le Solliciteur général du Canada, une amélioration des conditions de détention au Bloc cellulaire numéro 1. Se pouvait-il que Réal Brousseau et Fernand Beaudet, deux hommes qui avaient vécu dans le cercle étroit des familiers de Richard Blass, aient repris à leur compte la campagne entreprise jadis par le *Chat*, en adoptant toutefois une stratégie différente, une stratégie qui, en d'autres circonstances, avait largement fait ses preuves.

Leurs motifs? Je n'avais aucune peine à les deviner. Les témoignages sur les conditions de vie dans les prisons affluaient à mon bureau. Trois jours plus tôt, d'ailleurs, un détenu m'avait fait parvenir clandestinement une lettre où il décrivait l'institution comme «un véritable centre de conditionnement à la révolte».

«J'ai passé 32 jours au cachot, y compris la période des fêtes de Noël; ce que j'y ai vécu, jamais auparavant il ne m'avait été donné de le vivre.

«Les gardiens, tous triés en fonction de leur aptitude particulière au sadisme, prenaient plaisir à attacher des détenus à leur lit, sans aucun motif valable; ceux qui osaient protester étaient arrosés avec un extincteur à mousse carbonique. Le jour de l'An, j'écoutais la radio. Un sergent

s'est amené ; à l'aide d'une canne, il a frappé les barreaux de ma cellule, puis s'est mis à danser comme un fou. Ses hommes sont venus le rejoindre pour prendre part à la fête dont tous les prisonniers condamnés au cachot faisaient les frais. Ils se riaient de notre situation, ils nous traitaient de chiens, en déclarant qu'ils avaient pour mission de nous dompter. « S'il n'en tenait qu'à nous, disaient-ils, nous vous laisserions crever de faim. »

« Je sais ce qu'ils attendaient ; ils espéraient que l'un de nous se révolte pour avoir l'insigne « privilège » de le ramener dans le droit chemin, au nom des intérêts supérieurs de la société. »

Jamais un homme comme Réal Brousseau n'aurait accepté de subir longtemps pareil traitement sans réagir. Son action présente devait être certainement liée aux conditions de sa détention et, si tel avait été le cas, j'avais su qu'il ne relâcherait pas ses victimes sans avoir obtenu satisfaction.

J'avais regardé Bienvenue Marcoux peu après que le porte-parole de Réal Brousseau et de Fernand Beaudet nous eut fait part que les deux mutins préparaient le texte de leurs revendications ; il avait tout juste sourcillé. À quoi avait-il pensé alors : à la vie de ses hommes, trop peu expérimentés pour s'être méfiés des deux détenus ? Aux ennuis qui ne manqueraient pas de pleuvoir sur lui, sitôt que le danger serait dissipé ? À l'enjeu même de cette bataille ?

« S'ils cèdent, m'étais-je dit, plus jamais personne ne pourra circuler en sécurité dans les couloirs de la prison. » Mais je n'avais pas à prendre la décision.

– Bon, d'accord, avais-je dit au porte-parole des mutins. Dis-leur que nous reviendrons dans quinze minutes.

Pendant notre absence, Pierre Pascau avait laissé un message à mon intention au bureau de Bienvenue Marcoux.

– Je vais le rappeler, avais-je dit au directeur du pénitencier ; s'il veut venir, je lui céderai ma place.

– Il n'en est pas question, avait rétorqué Robert La Haye en haussant légèrement le ton, ce qui n'était pas habituel chez lui. Je ne connais même pas ce type.

Il ne me connaissait pas davantage, mais j'avais compris à demi-mot ce qu'il avait voulu dire. Au cours de notre court intermède dans la salle des gardiens, nous avions découvert l'un et l'autre que nous étions capables de faire équipe. Pourquoi alors aurait-il pris le risque de changer de partenaire ?

Jamais il n'avait pris part à une médiation de cette importance ; ainsi voulait-il pouvoir compter sur ma propre expérience pour mener à bien son travail. Le fait que j'avais pu me tirer vivant de plusieurs affaires de ce genre avait suffi à le convaincre de ma valeur.

De fait, en raison de nos tempéraments respectifs, il est vrai que nous nous complétions admirablement bien. Il était réservé ; rarement laissait-il voir ses sentiments et, sans être hautain, sa manière d'être n'invitait guère à la familiarité.

Ainsi, on ne pouvait pas lui demander d'amorcer les négociations. Ce rôle me serait imparti parce que je savais d'instinct adopter le ton juste, mettre en confiance, délier les langues. Robert La Haye pourrait alors intervenir pour ramener le calme dans les esprits, pour laisser entrevoir des issues à une impasse apparente, ou pour prêcher la modération.

Mon compagnon avait entrevu tout cela et Bienvenue Marcoux lui avait donné raison.

– Pourriez-vous rappeler Pierre Pascau ? m'avait-il demandé. Dites-lui que sa présence n'est plus nécessaire, que les mutins vous ont accepté.

Cet appel m'avait embarrassé ; je ne savais pas ce qu'allait penser Pierre Pascau de mon intrusion dans une affaire qui, au départ, le concernait. Malgré la demande de Bienvenue Marcoux, j'avais décidé de lui laisser le choix de venir ou non, ne serait-ce que pour ne pas compromettre mes relations avec lui.

– Pierre, c'est Claude Poirier. Est-ce qu'on t'a fait part de la nouvelle ?

– Non ! Quelle nouvelle ?

– La prise d'otages à Saint-Vincent-de-Paul !

– Je l'ignorais. Le portier m'a simplement dit de te rappeler.

– Des détenus se sont emparés, on ne sait trop encore comment, de deux gardiens au Bloc cellulaire numéro 1. Ils ont demandé ta présence et celle de l'avocat Robert La Haye. Comme on ne pouvait te joindre, je me suis rendu auprès d'eux pour une première rencontre, mais si tu veux entrer dans la danse, libre à toi.

– Pourquoi moi ?

– Ils n'ont rien dit d'autres.

– Ça m'ennuie beaucoup. Je suis pour l'instant avec des amis ; nous nous préparons à quitter la maison pour aller dîner. Si tu voulais t'en occuper, tu me rendrais un fier service.

Croyant malgré tout qu'il pouvait souhaiter avoir au moins une rencontre avec Réal Brousseau et Fernand Beaudet, j'avais insisté :

– Si tu veux prendre part aux négociations, je veux bien me retirer.

– Non ! non ! pas du tout. Tu as beaucoup plus d'expérience que moi dans des affaires de ce genre. Avec le gars qui est avec toi, tu vas régler l'affaire en un rien de temps et moi, j'ai ma soirée en perspective…

Parce que j'aimais, au fond, le rôle que j'avais été appelé à jouer au cours de mes précédentes interventions, j'avais cru, naïvement, qu'il en était ainsi pour tous mes confrères de travail. Après cette conversation avec Pierre Pascau, une conversation entrecoupée de nombreux silences où chacun cherchait à deviner les intentions cachées de son interlocuteur, j'avais compris qu'il n'en était rien, que peu de personnes, sinon personne, n'enviait mon rôle.

– Bonne soirée, Pierre !

Chapitre 15

Robert La Haye mâchouillait le tuyau de sa pipe éteinte. Sa nervosité toutefois m'incita au calme. Tout s'était bien passé pour nous depuis l'instant où nous avions franchi le dernier poste de contrôle pour nous aventurer au second étage du Bloc cellulaire numéro 1. Pendant un moment, j'avais craint le pire, mais rien n'était venu confirmer mes appréhensions, nées sans doute du silence inhabituel qui régnait en ces lieux.

– Messieurs… déclara pompeusement Robert La Haye.

Je ne le laissai pas terminer sa phrase.

– Bon Dieu de Bon Dieu ! Qu'est-ce que c'est que tout ce cirque ? Vous jouez à quoi ? Nous ne pouvons pas vous voir ? J'ai jamais apprécié les confessionnaux ; j'aime voir à qui je m'adresse.

Une main agrippa les couvertures tendues entre les barreaux. La lumière d'abord m'éblouit, puis j'aperçus Réal Brousseau, debout, un poinçon à la main. L'arme, fabriquée avec la poignée d'un seau, devais-je apprendre plus tard, piquait la gorge d'un des gardes, assis devant lui sur un tabouret et solidement ligoté.

Fernand Beaudet, armé d'une barre de fer, surveillait la seconde victime, étendue sur le lit de la cellule.

– Nous ne sommes pas sortis d'ici, dis-je, tandis que Réal Brousseau laissait échapper un rire nerveux.

– Ils se sont laissé prendre comme des lapins.

– Tu ne leur as rien fait ?

– Non ! mais si Marcoux ne nous accorde pas ce que nous voulons, ils peuvent commencer à réciter leurs prières tout de suite. Je préfère t'avertir.

– Il est inutile que tu t'en fasses avant de connaître sa réponse, et tant que vous éviterez les folies, vous n'avez rien à craindre.

– J'espère que tu as dit à Marcoux de laisser les *bœufs* hors du coup parce que moi, au moindre bruit dans le corridor, je me farcis les gardes.

– Dans l'affaire de la rue Jarry, est-ce que je n'ai pas tenu ma parole ? Est-ce que les *bœufs* ont tenté quoi que ce soit ?

– Non, c'est vrai.

– Je te demande seulement de faire confiance à Robert et de me faire confiance comme la dernière fois, et tout se passera bien. Nous allons enregistrer vos demandes sur magnétophone pour faciliter le travail. Nous ferons la même chose avec Marcoux. Il n'y aura donc aucun risque de mauvaises interprétations.

– C'est comme tu voudras… Tu es d'accord, Fernand ?

– Ça me va !

Le vrai travail pouvait commencer, mais il nous fallut écouter l'interminable réquisitoire de Réal Brousseau contre les conditions de détention au Bloc cellulaire numéro 1 avant que nous puissions prendre connaissance de ses revendications. La liste en était longue ; la plupart, inacceptables.

Sachant quelle serait la réponse de Bienvenue Marcoux, j'étais désemparé ; c'est alors que Robert La Haye prit le relais. Pendant deux heures, sans jamais faire preuve de lassitude, sans jamais manifester la moindre contrariété, répétant dix fois la même chose, il analysa, décortiqua, critiqua chacune des revendications des mutins, obtenant à la fin le retrait de celles qui ne pouvaient que conduire à une impasse.

Sur un point, toutefois, Réal Brousseau et Fernand Beaudet n'avaient pas voulu céder : les autorités du pénitencier devaient prendre l'engagement formel qu'aucune procédure judiciaire ne serait prise contre eux pour le rapt des deux gardiens.

– Messieurs, comme je vous l'expliquais tantôt, cette question n'est plus du ressort des autorités de Saint-Vincent-de-Paul ; l'affaire regarde maintenant le ministère de la Justice, avait déclaré Robert La Haye avant de s'avouer vaincu devant l'obstination des deux hommes.

– Que Marcoux se débrouille avec le ministre s'il tient à
ses gars.

Bienvenue Marcoux nous attendait à la porte de son bureau.
Il s'empara de la bande magnétique pour l'installer lui-même sur
un appareil placé au centre d'une table de conférence où ses plus
proches collaborateurs avaient pris place. La plupart avaient
laissé tomber leur veste ; en bras de chemise, la cravate dénouée,
ils s'étaient levés à notre entrée, mais leur attention s'était
rapidement reportée sur les mouvements d'humeur de leur
directeur, aux prises avec le magnétophone. Quelqu'un lui vint
en aide et la voix rauque de Réal Brousseau jaillit de l'appareil.
    Dès les premières minutes, devant leur air circonspect, je
savais quelle serait leur réponse. Je savais qu'il nous faudrait
nous bagarrer ferme pour arracher la moindre concession.
Avant la fin de l'enregistrement, d'ailleurs, les premiers commentaires fusaient, tous plus ou moins favorables à un refus
global.
    – Vous voulez que j'aille porter cette réponse à Brousseau
et à Beaudet ? dis-je, furieux de leur attitude. Auriez-vous en
même temps un message à transmettre aux gardiens qui sont
avec eux ? Je peux vous rendre ce service également.
    Bienvenue Marcoux coupa court aux protestations de ses
collaborateurs.
    – M. Poirier, je tiens à vous rappeler qu'aucune décision
n'a encore été prise.
    De tous, il était le seul à n'avoir émis aucun commentaire.
    – Certains d'entre nous, ajouta-t-il, ont seulement livré
leurs opinions ou leurs sentiments personnels. Il nous faut
maintenant, tous ensemble, étudier chacune des revendications
et juger au mieux.
    – Sachez que nous ne pourrons retourner là-bas sans avoir
obtenu de votre part certaines concessions ; bien sûr, si la vie
des deux otages vous tient à cœur, fis-je en réaction contre
l'hostilité évidente des adjoints du directeur du pénitencier.

Bienvenue Marcoux encaissa le coup sans broncher. Il se garda même de relever l'insinuation de peur d'aviver l'animosité entre les tenants de la ligne dure et ceux, moins nombreux, qui, à l'exemple de Robert La Haye, prêchaient la modération.

– Comment se comportent les victimes ; elles n'ont pas été blessées ?

– Pour l'instant, ça va, mais je ne parierais pas sur leurs chances de s'en sortir si vous rejetez en bloc les demandes des mutins.

– Vous semblez croire que j'ai fermé la porte à toute négociation. Comprenez-moi bien, M. Poirier, je ne peux pas, pour l'instant, vous dire quoi que ce soit, tant et aussi longtemps que nous n'aurons pas étudié à fond chacune des demandes. Vous ignorez tout des implications de cette affaire.

– Je les vois très bien, au contraire. J'imagine facilement les transes que doivent vivre vos supérieurs, tous ces grands seigneurs de la Fonction publique qui, de peur de perdre leurs privilèges, refusent de faire quoi que ce soit. Mais moi, voyez-vous, je n'ai que faire de leurs problèmes d'ulcères. Je ne pense qu'à la peur de deux jeunes gars, prisonniers dans la cellule numéro 17, qui pourraient payer parce que des incapables refusent d'entreprendre une réforme du système pénal.

– C'est beaucoup plus compliqué que ça ! murmura, comme pour lui-même, Marcoux.

– Ah ! parce que les politiciens s'en mêlent également !

J'avais frappé juste ; le silence s'était fait autour de la table.

– Nous allons faire le maximum, promit quand même le directeur.

– Alors, si nous procédions dans l'ordre, dit Robert La Haye, profitant du désarroi momentané des conseillers de Bienvenue Marcoux. Quelles sont les demandes qui vous paraissent acceptables ?

Je laissai à mon compagnon le soin de débattre ces questions, quitte à entrer dans la bataille plus tard, quand il aurait épuisé à son tour tous ses arguments. Je songeai alors à la rencontre que nous avions faite dans la cour de la prison, peu avant de pénétrer dans le pavillon administratif. Par un heureux effet du hasard, nous avions surpris l'arrivée discrète des commandos du Groupe d'intervention tactique.

– Qu'est-ce que vous faites là ? avais-je dit, stupéfait, au commandant de l'unité. Vous allez entrer ?

– Nous sommes là seulement au cas où la situation se détériorerait. Nous n'avons d'ailleurs pas obtenu le feu vert d'Ottawa.

Je profitai d'une courte absence de Bienvenue Marcoux qui avait voulu s'entretenir seul, par téléphone, avec le Solliciteur général du Canada, pour interroger le chef de la sécurité sur la présence des commandos de la Sûreté du Québec.

– Le directeur vous a donné sa parole que rien ne serait tenté contre les mutins à moins que la situation ne l'exige, me répondit-il.

Sa réponse ne me satisfit guère. Je voulus en apprendre davantage, mais le retour inopiné de Bienvenue Marcoux, l'air contrarié, relégua au second plan les craintes que j'entretenais à l'égard de la présence de la Sûreté du Québec.

– Il n'en est pas question. Il refuse…

– Il refuse quoi ? demandai-je à Robert La Haye.

– Aucune demande du gouvernement fédéral ne sera adressée au ministère de la Justice du Québec pour qu'il consente à ne pas poursuivre les deux mutins pour le rapt des gardiens.

– On peut se passer du fédéral… Je vais appeler le premier ministre Robert Bourassa. Nous verrons bien ce qu'il en dira.

L'affaire, bien sûr, concernait Fernand Lalonde, mais Robert Bourassa m'indiqua où je pouvais le joindre, dans une soirée, chez des amis. Je pus plaider sans retard la cause des gardiens auprès de Fernand Lalonde. Sa réponse toutefois ne me laissa que peu d'espoir : *S'il n'y avait pas de violence, il était peut-être permis de croire que le procureur du ministère saurait faire preuve d'une certaine modération.*

Cette réponse, je dus la transmettre aux mutins, au nom de Bienvenue Marcoux.

– Il est fou ? hurla Réal Brousseau. Va-t-il falloir tuer un de ses *chiens* pour qu'il nous prenne vraiment au sérieux ?

– Messieurs ! dit Robert La Haye, il ne faut pas vous mettre en colère.

– Bon Dieu ! Il ne peut pas vous donner la lune, ajoutai-je. Il a déjà accepté la plupart de vos demandes. Tu te laisses aveugler par ta haine.

– C'est vrai que je suis rempli de haine ; c'est vrai que je n'ai confiance en personne, mais sais-tu au moins pourquoi ?

Sa question, posée sur un ton d'où toute trace de colère avait disparu, me surprit ; je restai debout devant lui, ne trouvant rien à dire. Ses yeux ne me quittaient pas. La fatigue se lisait sur ses traits. Une étrange lueur s'était allumée dans son regard, quelque chose que je n'y avais jamais vu.

– Depuis l'âge de sept ans, oui ! sept ans, je vais d'une prison à l'autre : de la maison de correction pour délinquants au pénitencier, en passant par l'asile psychiatrique. Pourtant, je n'étais pas fou ; enfant, je n'étais pas foncièrement méchant. On m'a appris à le devenir. Tu sais ce que m'a déclaré un juge ? J'avais 17 ans à cette époque. «Jeune homme, m'a-t-il dit, je ne veux pas que vous deveniez un criminel endurci ; je vous condamne donc à deux ans de pénitencier, non pour vous punir, mais pour que vous puissiez apprendre un métier.» Pauvre homme ! s'il savait. Pendant ces deux ans, je n'ai appris qu'une seule chose : la haine ! Peux-tu imaginer que pendant ces deux ans j'ai fait dix mois de cachot ? N'oublie pas : je n'avais que 17 ans. Dix mois de solitude ! Et ce n'était pas suffisant : j'ai reçu le fouet pour avoir battu un détenu avec une barre de fer. Ils m'ont conduit à la section psychiatrique ; pour me donner des soins ? Non ! Sans doute avaient-ils décidé qu'ils ne pouvaient rien faire pour moi, avec, pour résultat, une crise grave au cours de laquelle je me suis mutilé à tel point qu'ils ont craint pour ma vie...

... J'en suis sorti finalement ; j'ai pu retrouver la liberté. Mon Dieu que j'étais heureux. J'étais prêt à faire une nouvelle vie ; je voulais apprendre un métier, me faire de nouveaux amis, mais ça ne pouvait pas durer. Mon patron a appris mon séjour en prison. Du jour au lendemain, je me suis retrouvé sans travail, sans amis. Non ! Ce n'est pas vrai ; j'avais encore des amis, ceux qui avaient connu les mêmes tourments que moi en prison. Eux ne m'ont pas laissé tomber. Ils m'ont accueilli à bras ouverts. Avec eux, surtout, j'ai pu en faire baver aux honnêtes gens, à tous ceux qui me refusaient le droit de vivre décemment. Tu te rappelles l'affaire de la station-service ? Eh ! bien, j'avais d'abord décidé d'en finir, de tuer les otages et le plus de policiers possible pour mourir à mon tour. Heureusement pour tous ces *pourris*, il y avait mon copain Arsenault. Je n'avais pas le droit de décider pour lui ; il avait confiance en moi. Je t'ai donc fait appeler pour que tu nous sortes de ce guêpier, mais je n'avais qu'une idée en tête : en finir à la première occasion. Personne n'a donc compris pourquoi j'avais tenté de poignarder un infirmier peu après mon arrivée au pénitencier. Tous croyaient que j'avais perdu la tête à la suite d'une dispute ou d'une brimade, que je n'avais pas vraiment voulu le tuer. D'ailleurs, qui était intéressé à connaître mes motifs ? Les policiers ? Ils avaient suffisamment de témoins pour obtenir ma condamnation. Les gardiens ? Trois officiers du service de sécurité m'avaient rendu visite, mais pour m'apprendre ce qu'il en coûtait de s'attaquer à un des leurs. Les médecins ? Ils étaient venus deux jours après l'incident pour me vanter les mérites de la section psychiatrique. Pas de réclusion, télévision à toute heure de la journée, etc. Résultats : pendant sept mois, j'ai vécu enfermé dans un cachot, 24 heures sur 24, bouffant des tas de médicaments et dormant plus de 15 heures par jour. En quittant cet enfer, me fiant encore une fois à la promesse des psychiatres, j'avais bon espoir de regagner les quartiers de détention où les prisonniers jouissent d'une vie à peu près normale. Non ! Ils m'ont refusé de nouveau ce droit ; ils m'ont conduit dans une autre section où les détenus vivent 23 heures sur 24 dans leurs cellules. J'ai pris mon mal en patience, en multipliant les demandes de transfert. Après cinq mois, ils ont enfin consenti à me donner ma chance. Je savais qu'il me fallait éviter toute bagarre avec d'autres prisonniers, me taire quand les gardiens ou leurs protégés me provoquaient, faire mon travail à l'atelier comme si cela me plaisait. Crois-tu qu'ils se sont réjouis de ce changement chez moi ? Non ! parce qu'au fond, ils avaient toujours peur de moi ; ils savaient qu'ils ne m'avaient pas brisé. Marcoux m'a fait venir dans son bureau, un mois seulement après ma sortie du Bloc cellulaire numéro 1 pour m'apprendre que mon attitude ne lui plaisait pas, que je tenais un langage qu'il n'appréciait guère. Il fallait donc que je reprenne le chemin du cachot. Je lui ai dit alors : « M. Marcoux, vous le regretterez. » Et j'ai tenu ma promesse ! Si maintenant il ne veut pas fermer le Bloc cellulaire numéro 1, s'il ne veut pas que nous soyons transférés dans une autre prison, c'est bien simple, je tue les deux gardiens. Je me contrefiche de ce qu'il me réserve ; ça vaudra mieux que de pourrir dans ce trou.

La cause était entendue. Ni Bienvenue Marcoux ni ses proches collaborateurs n'avaient d'abord voulu faire davantage, puis quand, après deux longues heures de travail patient de Robert La Haye, ils avaient fait une nouvelle proposition, les mutins avaient à leur tour rappliqué.

Devant notre air atterré, le directeur du pénitencier perdit toute contenance.

– Bon Dieu ! ne me dites pas qu'ils refusent encore.

– Oui !

À bout de fatigue, il enfouit son visage dans ses mains. Le silence se fit autour de lui ; personne n'osait commenter ce nouvel échec. Moi-même, je ne savais plus que penser de l'affaire. En d'autres circonstances, j'aurais été sensible aux tourments de l'homme sur qui reposait désormais le poids de la décision, mais j'avais encore à l'esprit la supplique d'un détenu qui avait guetté notre sortie, lors d'un aller-retour entre le Bloc cellulaire numéro 1 et le pavillon administratif.

– Ne nous laissez pas tomber, nous avait-il dit dans un murmure. Nous comptons sur vous deux pour leur faire comprendre.

Dans la cour de la prison, Robert La Haye avait également été interpellé ; cette fois, la voix provenait d'une fenêtre du premier étage où des membres du Front de libération du Québec purgeaient leur peine.

– Parlez pour nous, M. La Haye, voulez-vous ? avait clamé l'inconnu qui prétendait désormais répugner à faire usage de la violence. Nous sommes des pacifiques !

J'étais pourtant convaincu que les prisonniers dits politiques avaient joué un rôle dans le geste désespéré de Réal Brousseau et de Fernand Beaudet. Comment ? Je l'ignorais, mais les indices étaient là. D'abord, cet appel fait à Pierre Pascau. L'homme avait joué un grand rôle pendant la Crise d'octobre 70 et il était davantage connu pour sa compétence en matière politique que pour sa connaissance des affaires criminelles ou judiciaires. Larry Sauvé avait proposé ce nom à Fernand Beaudet et à Réal Brousseau, ce que je savais déjà, mais qui avait suggéré ce nom au porte-parole des mutins ?

Les demandes des ravisseurs également me plongeaient dans l'expectative. Ils avaient mis la main à la pâte, c'était certain, mais d'autres détenus avaient apporté leur concours. Je connaissais quatre d'entre eux ; ils avaient signé le manifeste de quatre pages que Réal Brousseau et Fernand Beaudet exigeaient de lire sur les ondes de la radio, autre point de similitude avec les événements d'octobre 1970 ; j'ignorais, encore là, qui en avait fait la suggestion, qui avait épuré le texte de leurs revendications, qui, dans l'ombre, s'était fait le conseiller des deux *desesperados*.

Personne dans la salle de conférence ne semblait avoir établi de liens entre les prisonniers dits politiques et les mutins ; personne non plus n'avait voulu croire en une solidarité nouvelle entre les détenus du Bloc cellulaire numéro 1 ; cela expliquait peut-être pourquoi ils avaient longtemps refusé de se plier à la demande de transfert visant des prisonniers apparemment étrangers à la prise d'otages. À la fin pourtant, Bienvenue Marcoux dut prendre conscience de la situation nouvelle qui prévalait au Bloc cellulaire numéro 1.

– Bon ! allez leur dire qu'ils seront transférés… tous.

Chapitre 16

Après plus de douze heures de négociations, je pouvais annoncer à la radio la fin du drame.

Dans leur manifeste, que j'avais accepté de lire sur les ondes, avec l'accord des autorités du pénitencier, les mutins demandaient l'ouverture d'une enquête sur les conditions de détention au Bloc cellulaire numéro 1 qu'ils décrivaient comme dégradantes et contraires aux principes invoqués dans la Déclaration canadienne des droits de l'homme.

«La ségrégation, telle que pratiquée présentement, est cruelle et inhumaine, disaient-ils. Cela n'a pour résultats que d'aigrir les détenus, développer en eux une haine incontrôlable et, à la longue, en faire des handicapés sociaux irrécupérables.»

Selon eux, les autorités faisaient preuve «d'une inconscience criminelle en continuant ce genre de châtiment moyenâgeux, car le Bloc cellulaire numéro 1 n'est qu'une fabrique d'assassins.»

S'ils demandaient les mêmes privilèges que ceux qu'on accordait aux autres détenus, Réal Brousseau et Fernand Beaudet réclamaient également plus spécifiquement: le rétablissement du bureau d'Aide juridique aboli depuis peu au pénitencier de Saint-Vincent-de-Paul sans explications; un changement dans la préparation des repas, effectuée par des détenus de la section dite de «protection» qui, en conflit permanent avec les prisonniers en ségrégation, réduisaient les portions, crachaient dans les aliments ou glissaient des morceaux de lames de rasoir brisées dans la nourriture; une révision mensuelle complète du dossier des détenus en ségrégation ; la possibilité de voir un avocat ; une amélioration sensible des services médicaux.

Après la lecture du manifeste, j'avais cru que Réal Brousseau témoignerait de sa satisfaction mais, chose étrange, c'est froidement qu'il m'avait écouté lire son texte. Je sentis à sa nervosité que quelque chose encore l'inquiétait.

– Ça ne va pas ? lui demandai-je.

– Ne vous éloignez surtout pas de nous.

– Mais pourquoi ?

– Je ne veux pas être battu.

– J'ai la parole de Marcoux que rien ne vous sera fait.

– Tu crois que c'est suffisant ! Ses gars n'ont rien promis, eux, et quand leurs deux copains seront en sécurité, ils ne se gêneront pas pour nous taper dessus.

– Je vais demander deux paires de menottes ; Robert s'attachera avec Fernand ; nous, nous resterons ensemble.

Les craintes de Réal Brousseau étaient largement justifiées ; dans la cour du pénitencier, où deux autopatrouilles de la Sûreté du Québec nous attendaient pour nous conduire dans une autre institution, les gardiens s'étaient rassemblés. La colère déformaient leurs traits ; certains mêmes nous injuriaient. « Regardez-les, ces deux salauds, ces deux vendus, disaient-ils avant de menacer les mutins de leurs poings. Nous allons vous faire passer le goût du pain. »

Des agents de Laval, demandés en renforts, dispersèrent les gardiens, mais je respirai plus à l'aise après avoir franchi la grille du pénitencier de Saint-Vincent-de-Paul, tout en me demandant toutefois quel serait l'accueil des gardiens de l'institution où les mutins devaient passer la nuit avant de s'envoler, au matin, pour la prison de Dorchester, au Nouveau-Brunswick. Réal Brousseau partageait les mêmes inquiétudes.

– Je vais coucher à la prison ; Robert aussi, je vais lui en parler. Comme nous devons vous accompagner ce matin à l'aéroport, nous perdrons moins de temps en restant avec vous.

Avec l'accord de Bienvenue Marcoux, nous devions même monter à bord de l'avion, mais au matin, en nous présentant à la barrière de contrôle pour aller remettre aux mutins les journaux du matin, deux agents de la Gendarmerie royale du Canada nous interdirent l'accès à l'appareil.

Ce ne fut pas le seul manquement à la parole donnée. Dès leur arrivée à la prison de Dorchester, les deux hommes furent confinés au cachot d'où Réal Brousseau me fit parvenir une lettre.

Bonjour Claude,

Je viens prendre un peu de ton précieux temps pour te donner de mes nouvelles, comme je te l'avais promis. Tu dois savoir maintenant que je suis toujours en ségrégation.

Hier encore, j'ai refusé les soins du psychiatre de la prison ; ma réponse sera encore non demain. Elle sera non tant et aussi longtemps qu'ils me garderont au cachot.

Je ne veux pas de la pitié des gens. Je ne t'écris pas non plus pour que tu t'affliges de mes malheurs, mais je tiens à ce que tu saches, toi, pourquoi souvent un évadé qui a séjourné en ségrégation ne songe qu'à tuer. Il n'a que de la haine au cœur ; il ne songe qu'à rendre le mal pour le mal. Je connais bon nombre de détenus qui pensent ainsi ; tu en as connu toi aussi, les Richard Blass, les Jean-Paul Mercier, les Normand Champagne, les Robert Brown et je crois que bientôt mon nom figurera sur cette liste. Non pas parce que je le désire, mais parce que ma haine sera la plus forte.

Rien pour moi n'a plus d'importance ; mon cœur, pour les illusions, n'a plus de place...

Et c'était signé : *Un détenu de la haine.*

Larry Sauvé, David Foster, Bertrand Janvier et Eddy McCaffrey, tous quatre détenus au Bloc cellulaire numéro 1, avaient signé le manifeste de Réal Brousseau et de Fernand Beaudet. Ils avaient obtenu leur transfert à l'institut Archambault, de Sainte-Anne-des-Plaines, une institution à sécurité maximum, mais où les conditions de détention étaient à leurs yeux plus humaines.

Six mois après leur incarcération à l'institut Archambault, Bertrand Janvier et Eddy McCaffrey étaient pourtant de retour au Bloc cellulaire numéro 1 du pénitencier de Saint-Vincent-de-Paul. Dans la cellule numéro 4, ils avaient trouvé... Fernand Beaudet.

Dès lors, les deux hommes n'eurent plus qu'une idée en tête : s'emparer d'un ou de plusieurs otages pour exiger un nouveau transfert, en compagnie d'un nouveau complice, Gordon Lussier, nouvellement arrivé au Bloc cellulaire numéro 1.

Le 5 novembre 1976, à la fin de l'après-midi, ils mettaient à exécution un plan soigneusement préparé avant de faire appel aux services de Robert La Haye et aux miens.

Trois gardiens avaient été capturés ; un seul avait été relâché aux premières minutes du drame pour faire part au directeur de l'institution des exigences des mutins.

Des trois hommes, Gordon Lussier était certes le plus dangereux. Quinze jours avant l'événement, il avait participé à une autre prise d'otages dans un pénitencier de l'Ouest canadien au cours de laquelle il avait poignardé l'une de ses victimes. Depuis lors, il vivait dans l'attente de son procès. Le désespoir l'avait même conduit à tenter de mettre fin à ses jours avec une lame de rasoir.

Ses complices n'étaient pas moins dangereux. Eddy McCaffrey, hôte de la cellule numéro 7, purgeait une double sentence de prison à perpétuité pour meurtres ; le troisième, Bertrand Janvier, s'était illustré lors d'une prise d'otages dans une prison provinciale.

Cette fois encore, Robert La Haye et moi avions pu obtenir, après huit heures de négociations, la libération des gardiens en échange du transfert des détenus du Bloc cellulaire numéro 1 dans d'autres institutions ; Fernand Beaudet et Armand Frappier, ex-comparse de Jean-Paul Mercier, devaient être conduits à l'institut Archambault, alors que Gordon Lussier, Eddy McCaffrey et Bertrand Janvier avaient choisi la prison de Dorchester.

Pendant ces événements, j'avais senti que les autorités du pénitencier, à l'instar des services policiers, avaient adopté un

Net Deal Policy. Les événements d'ailleurs paraissaient leur donner raison ; Bertrand Janvier, à peine installé à la prison de Dorchester, avait de nouveau trempé dans une affaire de prise d'otages, en compagnie d'une vieille connaissance : Edgar Roussel.

Quand survint donc la mutinerie à la prison d'Orsainville, j'eus le pressentiment que quelque chose de grave allait se produire.

Vers 19 heures, sept détenus de la prison d'Orsainville s'étaient rendus maîtres d'un quartier de l'institution, en tenant en otage trois gardiens.

Le lendemain matin, à mon arrivée à la station de radio, le chef des nouvelles m'avait fait entendre une interview téléphonique qu'avait obtenue un reporter de la salle des nouvelles avec une des victimes.

– *Oui ! c'est Rodrigue Nolin qui parle*, déclarait l'otage que le leader des mutins, Serge Robin, avait obligé à prendre l'appareil.

– *Nous vous écoutons, M. Nolin*, avait dit le reporter.

– *Ils ont dit qu'ils nous abattraient si la police tentait quoi que ce soit. Ils ont dit qu'ils nous tueraient. Nous, nous ne voulons pas mourir...*

À cet endroit précis de l'enregistrement, je crus entendre un chuchotement, comme si quelqu'un soufflait une réponse à Rodrigue Nolin.

– *... nous avons jusqu'à 8 h ; si les autorités n'ont pas accepté à ce moment les conditions des détenus, ils vont nous tuer à tour de rôle.*

Peu avant l'expiration du délai, je pris contact avec la Sûreté du Québec pour connaître la décision des autorités ; à ma grande surprise, j'appris qu'elles avaient refusé de céder au chantage.

Je rejoignis par téléphone Serge Robin pour m'enquérir de ce qu'il comptait faire maintenant, dans l'espoir que mon appel le conduirait à reporter le délai. Si personne n'intervenait, m'étais-je dit, il y aura du sang. Bien sûr, l'affaire ne me concernait pas directement, mais pouvais-je rester indifférent après tout ce que j'avais connu ? Je savais également que, un jour ou l'autre, les policiers se lasseraient, qu'ils modifieraient leur stratégie pour couper court à cette vague de prises d'otages dans les prisons.

– Serge Robin, m'entendez-vous ?

– Oui ! répondit le mutin d'un ton rageur.

– Serge Robin, vous avez donné jusqu'à 8 h aux autorités de la prison pour donner suite à vos demandes. Le délai expire à l'instant même. Est-ce que Me Richard Grenier, l'avocat dont vous avez demandé la présence, est à vos côtés ?

– Non ! Il n'est pas encore arrivé.

– Faites-le demander. J'aurais quelques questions à lui poser.

– S'il n'est pas là dans cinq minutes, nous commençons le bal ici...

Le silence s'établit sur la ligne téléphonique. Je pris peur.

– Serge... Serge Robin... Vous êtes là encore ?

– Oui !

– J'ai parlé, il y a quelques minutes, avec le lieutenant Claude Barron, responsable des opérations à la Sûreté du Québec. Je lui ai fait part de votre proposition, celle que vous avez transmise à mon confrère de travail de Québec. En échange de la libération d'un otage qui souffre d'une maladie cardiaque, vous demandez à être conduit dans un hôtel de la ville de Québec où des négociations pourraient être entreprises sur vos conditions de détention. Est-ce bien exact ?

– Oui ! c'est ce que nous voulons.

– Donc, si cette condition est acceptée, vous libérerez le malade ?

– Ma parole d'honneur... mais s'ils refusent, que je sois maudit si je n'en tue pas un, ici même, avant de mourir.

– Au cours de la nuit, vous avez demandé ma présence à la prison d'Orsainville ; malheureusement, je viens tout juste d'être rejoint. Si vous souhaitez toujours ma présence, je viens

190

d'obtenir l'accord de la Sûreté du Québec. Un policier me conduira auprès de vous ; dans moins de deux heures, je pourrais être à vos côtés.

– Je t'attends.

– Mais j'ai votre parole d'honneur ?

– Oui ! s'ils acceptent rapidement...

– Vous leur donnerez bien jusqu'à 8 h 15.

– Pas davantage !

– Alors, je compte sur toi. Est-ce que Me Grenier est arrivé ?

– Il arrive à l'instant.

– Pourrais-je lui parler ?

Me Richard Grenier vint au téléphone ; à son intention, je repris ce que j'avais dit à Serge Robin, promettant de le rappeler dans moins de 15 minutes.

Ce délai me suffit d'ailleurs largement pour obtenir l'accord verbal du lieutenant Barron, mais je l'invitai à rester en ligne pendant que je communiquais sa réponse aux mutins.

– Serge ? C'est Claude Poirier. La Sûreté du Québec a accepté tes conditions.

– Peux-tu faire parler le *bœuf* ? J'aimerais l'entendre me le dire lui-même, si ça ne te fait rien.

– D'accord, mais promets-moi d'abord de ne rien faire jusqu'à mon arrivée à la prison d'Orsainville. Rien ne doit arriver aux otages, tu m'entends.

– Il n'arrivera rien aux otages, à moins que les *bœufs* nous fassent une saloperie. S'ils tentent quoi que ce soit, je te jure que je les tue.

– Bon ! maintenant je vais te passer le lieutenant Barron. Lieutenant, vous êtes là ?

– Hum ! Oui !

– Vous êtes en ondes présentement, dis-je au préalable. Comme je viens de le promettre à Serge Robin, vous acceptez que, dès mon arrivée à Québec, des négociations pourront se dérouler dans un hôtel de la ville ?

– C'est la po... posi... la position de la Sûreté du Québec à l'heure présente, réussit à dire le policier, mais le sens véritable de sa réponse m'avait échappé ; j'avais été distrait par Serge Robin qui m'annonçait qu'un garde voulait me parler.

– Je vous remercie infiniment, dit-il seulement quand il vint en ligne, puis il céda sa place au porte-parole des mutins.

– Moi aussi, je te remercie. Je t'attends.

À la Sûreté du Québec, l'inspecteur en chef Robert Therrien m'accueillit lui-même pour m'apprendre que je ferais route en compagnie du caporal Robert Marchand, un jeune policier que je ne connaissais pas, mais avec lequel je sympathisai aussitôt.

Il pleuvait ce jour-là ; la circulation sur l'autoroute menant à Québec ralentissait notre course. Le caporal Marchand fit appel à une autopatrouille pour nous libérer la voie. À plus de 150 km/h, les deux voitures dévorèrent la route, empruntant parfois le terre-plein pour doubler certaines autos qui tardaient à nous céder le passage.

Nous allions atteindre bientôt un village situé à moins de 60 kilomètres de Québec quand retentit la sonnerie du téléphone installé dans l'auto.

– Oui ! fit le caporal qui, conduisant d'une main, avait décroché l'appareil. Bon ! dit-il encore avant de couper la communication, nous nous rendons quand même sur place.

– Que se passe-t-il ?

– On vient de m'apprendre que tout est fini ; les gars du Groupe d'intervention tactique sont entrés dans la place.

J'avais été trompé, bien que Serge Robin et ses complices donnèrent une tout autre version de l'affaire ; mais à mes yeux, ce n'était pas là la conséquence la plus grave.

Quel criminel aux abois, sur le point de commettre l'irréparable, accepterait désormais d'accorder foi en la parole des policiers ?

Ce geste invraisemblable, dont je n'osais entrevoir toutes les conséquences, un officier supérieur tenta de le justifier peu après, lors d'une conférence de presse.

La Sûreté du Québec a demandé en toute bonne foi, dit-il, l'intervention de Claude Poirier. Entre 8 heures et 10 heures, toutefois, la situation s'est rapidement détériorée. Les sept mutins étaient passablement nerveux. Ils criaient, menaçant même parfois de s'en prendre à leurs otages. Dans notre esprit, il fut bientôt évident que la vie de ces derniers était en danger. Il nous fallait donc intervenir sans tarder, malgré la promesse faite à Serge Robin.

Claude Poirier avait accepté de bonne foi d'intervenir à titre de négociateur ; nous avions également accepté en toute bonne foi sa participation, ignorant alors que la situation exigerait que nous rompions notre serment pour sauver la vie des otages.

Il se peut que, dans un avenir rapproché, Claude Poirier soit appelé à jouer une fois encore un rôle dans une telle affaire. Je voudrais bien que l'on sache que nous tiendrons nos engagements, sauf si, comme cette fois, les victimes étaient en danger.

Malgré les dires de cet officier, malgré une rencontre avec le lieutenant Robert Barron et les principaux officiers du Groupe d'intervention tactique, jamais je n'ai vraiment cru à cette version de l'affaire. Ce sentiment, peut-être non fondé, provient en partie de l'hostilité qu'affichaient à mon égard plusieurs policiers. Certains même ne se cachaient plus pour dire que je n'avais aucun rôle à jouer dans des affaires du ressort exclusif de la police.

L'opposition ne venait pas seulement des agents les plus obtus ou de ceux qui souhaitaient en découdre avec les hors-la-loi, en l'absence de tout témoin, mais également de certains enquêteurs parmi les plus brillants. Ceux-là avaient compris le risque qu'ils encouraient en faisant appel à mes services ; ils savaient qu'ils ne pourraient jamais obtenir que je manque à ma parole, à l'égard même des criminels les plus dangereux, dans des situations mêmes exceptionnelles. Ils savaient également que je n'étais pas tenu de leur obéir, qu'une fois aux prises, seul avec leurs suspects, je ferais toujours comme bon me semblerait.

J'avais tout à craindre d'eux, mais je ne sais par quel aveuglement je fus incapable de tirer les conclusions qui s'imposaient après les événements de la prison d'Orsainville. Pire, jamais je ne mis en doute leur bonne foi et leur compétence, pas même dans l'affaire Charles Marion.

Partie V

Personne ne peut savoir, sinon quelqu'un qui a vécu pareille situation, ce qu'est ma vie présentement. J'ai lu chacun des communiqués que mes ravisseurs ont fait parvenir ; j'ai écouté chacune des réponses en code transmises par la radio ; j'ai lu tous les journaux depuis mon enlèvement.

À la suite de tout cela, je pourrais vous crier ma révolte, mais je n'en ai pas le temps. Il me faut abréger. L'action de la police est une sinistre farce ; elle ment quand elle prétend ne pas pouvoir transmettre tel ou tel renseignement ou entreprendre telle ou telle action, de peur de mettre ma vie en danger.

Bien au contraire, jusqu'à maintenant elle a tout fait pour que je meure.

Charles Marion

Chapitre 17

J'appris la disparition mystérieuse de Charles Marion deux jours seulement après son enlèvement, survenu dans un chalet de Stoke, le 6 août 1977, vers 23 heures.

Le nom de la victime, gérant de crédit dans une caisse populaire de Sherbrooke, m'était inconnu; j'avais toutefois bondi dans mon auto, sans prendre la peine de faire ma valise, pour gagner Sherbrooke où les policiers avaient établi leur quartier général.

Cette décision, je l'avais prise en apprenant les exigences des ravisseurs.

M. Stébenne, avaient-ils écrit en s'adressant au directeur de la caisse populaire, *vous êtes responsable, à partir de ce moment, de la vie de Charles Marion et de celle de vos proches. Jouez franc jeu et rien d'irréparable n'arrivera.*

Dans le cas contraire, l'enfer serait encore peu de chose en regard de ce que vous auriez à supporter. Recueillez un million de dollars en vieilles coupures […]; *achetez deux valises neuves dans lesquelles vous placerez la rançon en liasses de 10 000 $, retenues par des élastiques.*

Vous avez jusqu'à 15 heures pour compléter ce travail, soit un délai largement suffisant. Vous pouvez marquer les billets de banque, mais ne prenez aucune autre initiative […]

Les sept serpents

Jamais auparavant, dans les annales judiciaires canadiennes, des ravisseurs n'avaient posé de telles conditions; jamais auparavant ils n'avaient affiché autant d'assurance, autant d'indifférence à l'égard des policiers.

Le ton de ce premier communiqué et les règles imposées pour la remise de la rançon avaient d'ailleurs plongé les enquêteurs dans l'expectative; rien dans cette affaire ne leur semblait porter la signature de «professionnels».

Je vis bien, à mon arrivée à Sherbrooke, que quelque chose n'allait pas; la pagaille régnait dans les bureaux de la Sûreté du Québec où des membres de la Sûreté et ceux de l'escouade des crimes contre la personne cherchaient tant bien que mal à se loger dans les rares locaux encore libres. Personne ne songeait à plaisanter; chacun s'affairait, presque en silence, évitant encore de commenter l'événement qui faisait l'objet, à l'heure présente, d'une importante réunion de l'état-major.

Je cherchai en vain dans les corridors quelqu'un à qui parler, un visage familier parmi tous ces policiers inconnus ou même, en dernier ressort, un confrère de travail, mais l'annonce de l'enlèvement du gérant de crédit de la Caisse populaire de Sherbrooke-Est n'avait sans doute pas encore semé l'émoi dans les salles de rédaction et les salles de nouvelles. J'étais bon premier, une fois encore; peut-être même les journalistes de la métropole attendraient-ils de nouveaux développements avant d'entreprendre le voyage vers Sherbrooke?

Ne sachant où aller entre-temps, au premier planton posté à l'entrée, je demandai à me rendre dans la salle prévue pour les journalistes. Il sembla ne pas comprendre ma question et, devant mon insistance, il jugea préférable de demander l'aide de son supérieur.

Ma requête surprit l'officier; sa réponse devait me surprendre bien davantage.

– Nous n'avons pas pensé à cette question pour l'instant, me dit-il, mais d'ici un jour ou deux, nous pourrons vous accueillir...

«Ainsi, me dis-je, les autorités de la Caisse populaire de Sherbrooke-Est n'avaient pas l'intention de se conformer aux exigences des ravisseurs; elles devaient avoir reçu l'ordre de la Sûreté du Québec de répondre de façon évasive afin d'obtenir des auteurs du rapt un nouveau délai.»

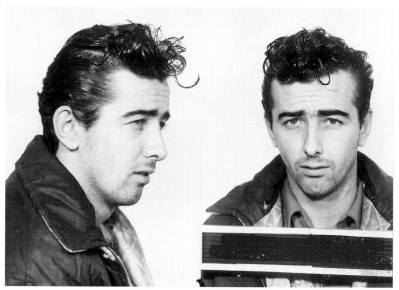

Albert-Robert Brown, un homme qui ne voulait pas retourner en prison.

J'escorte l'otage Josée Beaulieu qui vient de recouvrer sa liberté.

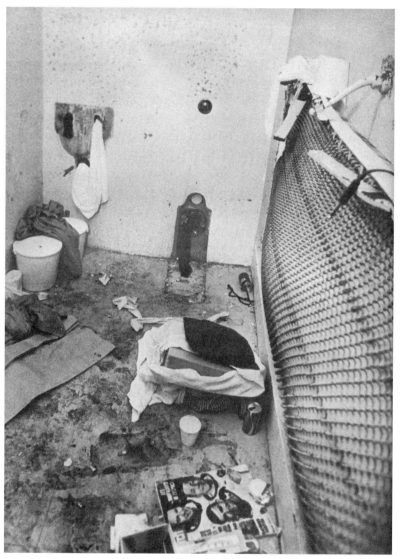

Le trou. Dans une cage, 23 heures par jour…

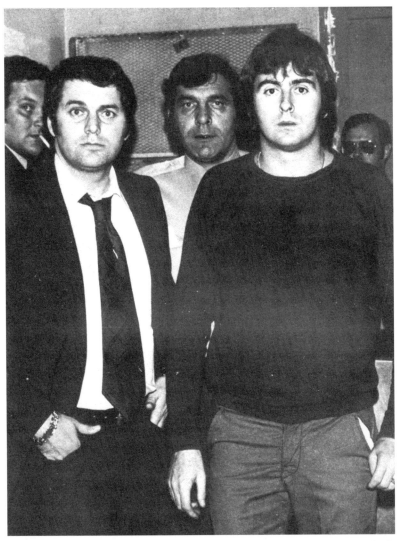

Prise d'otages au pénitencier de Saint-Vincent-de-Paul, 5 novembre 1976.
Avec l'un des mutins, Tom McCaffrey.

Un gardien fouille Gordon Lussier. À droite, Me Robert La Haye.

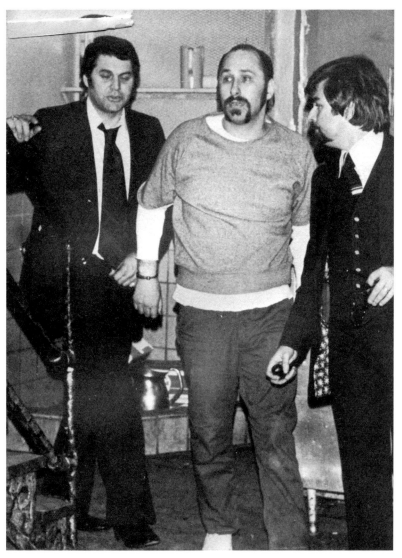

M^e La Haye et moi escortons Gordon Lussier
pour le remettre aux policiers.

La célèbre photo de Charles Marion,
prise par ses ravisseurs durant sa captivité.

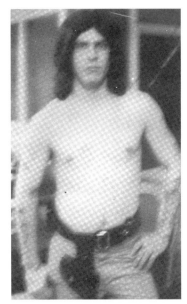

Prise d'otages à la prison commune du
Palais de justice de Saint-Jérôme,
8 mars 1978. Deux des mutins se
photographient l'un l'autre.
Ci-contre, Lucien Jacques.

Roland Simard

Rien d'important ne se déroulerait donc au cours des prochaines heures et cela m'ennuyait ; j'étais parti de Montréal sans même prendre le strict nécessaire, croyant rentrer le soir même, et voilà qu'il me fallait songer à trouver un endroit pour dormir un soir ou deux. Je pestai contre mon emportement qui me vaudrait pendant ce court séjour mille désagréments, faute des petites choses qui permettent d'améliorer l'ordinaire dans un hôtel de province. Qu'aurais-je dit alors si j'avais su que ce séjour durerait 61 jours ?

Je lus avec émotion la première missive de Charles Marion, reçue au lendemain de mon arrivée à Sherbrooke.

Je demande aux dirigeants de la Caisse populaire de Sherbrooke-Est de bien penser à la situation dans laquelle je me trouve ; cela aurait pu arriver à chacun d'entre eux.

Je vous demande donc en grâce, ma vie en dépend, de bien vouloir accepter toutes les conditions que les ravisseurs poseront.

Ici, c'est une vie d'enfer et je ne pourrai résister encore longtemps. Je souffre un martyre. Ne pas savoir ce qui peut m'arriver, attendre la mort, tout cela est horrible, croyez-moi. Dites à ma femme, Denise, que je l'aime toujours et que je pense à elle constamment, malgré les apparences.

Denise, demande à mon ami Raymond Gauvin qu'il insiste auprès des autorités de la caisse pour qu'elles paient la rançon demandée. Je sais que je ne vaux pas un million de dollars, mais je veux vivre. Je t'embrasse, ma Denise, comme à 18 ans. J'espère te revoir, je prie beaucoup pour cela.

Charles.

Sept jours après la découverte de cette lettre, pourtant, rien n'avait encore été fait pour obtenir la libération de Charles Marion. Les autorités de la Caisse populaire de Sherbrooke-Est refusaient toujours de se plier aux conditions des ravisseurs qui, de leur part, manifestaient maintenant une certaine impatience.

Cessez de vous comporter comme des idiots, firent-ils savoir ; nous n'aimons guère cela. Si vous voulez revoir Marion vivant, vous devez suivre nos instructions contenues dans notre premier message. Nous ne communiquerons jamais directement avec vous; nous n'accepterons pas davantage de réduire le montant de la rançon.

Jusqu'à présent, les ravisseurs avaient éliminé tout risque d'être pris en adoptant un mode de communication simple, mais particulièrement efficace, pour négocier les conditions de la libération de leur victime: envoi par la poste ou dépôt d'un communiqué à la résidence d'un ami de la famille de Charles Marion ou encore aux bureaux d'un quotidien de la métropole, la réponse devant être lue sur les ondes de la télévision, selon un code transmis auparavant:

Vous passerez le message suivant, disaient-ils dans le second communiqué adressé au directeur de la caisse populaire: *M. Nebets accepte. L'annonceur devra répéter cette phrase trois fois. Cela voudra dire exactement ce qui suit: la rançon de un million de dollars est prête; l'argent a été placé dans deux valises; les émissaires, M. Claude Stébenne et M. Yvon Béchard, se tiennent prêts à effectuer la livraison.*

Ce mode de communication, excluant toutes conversations téléphoniques, n'était pas pour simplifier la tâche des policiers; ceux-ci avaient donc suggéré aux autorités de la Caisse populaire de Sherbrooke-Est d'exiger une prise de contact directe sous prétexte de favoriser les négociations en cours. Devant le refus catégorique des ravisseurs de se plier à cette exigence, elles avaient jugé préférable de ne plus rien demander en ce sens, pour tenter d'obtenir que les auteurs du rapt consentent à réduire le montant de la rançon.

M. Nebets est prêt à faire une certaine livraison avec les garanties réelles d'usage. Indiquez sans délai un code de restriction.

Les autorités de la caisse populaire.

Les ravisseurs firent mieux... Ils gardèrent le silence pendant cinq jours, des jours interminables aux yeux des membres de la famille du gérant de crédit de la Caisse populaire de Sherbrooke-Est qui, n'y tenant plus, sortirent de leur mutisme pour implorer les ravisseurs de donner des nouvelles de leur victime.

Vous avez jeté l'épouvante au sein d'une famille en enlevant un homme que vous n'avez choisi que pour ses états de service à l'intérieur du Mouvement Desjardins et de sa vulnérabilité à un enlèvement. Vous avez ajouté à ce supplice l'attente et le doute quant à l'état de santé et à la vie même d'une personne chérie par les siens. Nous faisons appel à votre humanité pour établir immédiatement le dialogue avec les autorités de la Caisse populaire de Sherbrooke-Est qui n'ont, pour le moment, que la vie de cet homme pour objectif.

Au moment où le fils de Charles Marion, Pierre, écrivait ces lignes destinées aux médias, un appel anonyme révélait au rédacteur en chef du *Journal de Montréal* qu'une lettre avait été déposée à son intention dans une boîte postale située à proximité des locaux du quotidien.

Montréal, le 17 août 1977
Endroit : inconnu
Journal de Montréal
À qui de droit,

Je n'ai que quelques minutes pour vous écrire un message que je vous demande, ou plutôt que je vous supplie de transmettre, en premier lieu, à ma famille ; en second lieu, à mes confrères et mes consœurs des Caisses populaires Desjardins ; en dernier lieu, à toute la population.

Sachez que je vous écris sans aucune contrainte de la part de mes geôliers ; je leur ai offert de le faire en espérant que cela pourrait mettre fin au cauchemar que je vis présentement.

Personne ne peut savoir, sinon quelqu'un qui a vécu pareille situation, ce qu'est ma vie présentement. J'ai lu chacun des communiqués que mes ravisseurs ont fait parvenir à M. Stébenne ; j'ai écouté chacune des réponses en code transmises par la radio ; j'ai lu tous les journaux depuis mon enlèvement.

À la suite de tout cela, je pourrais vous crier ma révolte, mais je n'en ai pas le temps. Il me faut abréger. L'action de la police est une sinistre farce ; elle ment quand elle prétend ne pas pouvoir transmettre tel ou tel renseignement ou entreprendre telle ou telle action, de peur de mettre ma vie en danger.

Bien au contraire, jusqu'à maintenant, elle a tout fait pour que je meure.

Vendredi dernier, par exemple, elle avait reçu l'ordre d'arrêter temporairement les recherches, dans l'attente de ma libération. Pour une raison que j'ignore, elle a préféré intensifier les recherches, sans même prendre la peine de dissimuler son action.

Au chapitre de la rançon, les autorités de la caisse parlent d'un certain montant qu'elles pourraient verser sans toutefois en mentionner l'importance ni la date de sa remise. Elles déclarent également que Claude Stébenne et Yvon Béchard refusent de servir d'intermédiaires, mais je sais qu'ils pourraient être remplacés par Claude Poirier et un journaliste d'une station de télévision.

En résumé, les ravisseurs posent trois conditions : A, la rançon ; B, la livraison ; C, le retrait temporaire de la police.

Je crois que les recherches entreprises ont déjà coûté plus cher que le montant exigé pour ma rançon et ma situation ne va guère en s'améliorant.

Je transmets donc le message suivant à tous les employés des caisses populaires : si je meurs sans que la rançon ne soit versée, ils s'empareront de quelqu'un parmi vous et celui ou celle qui sera choisi fera la triste constatation qu'il n'est qu'un numéro au sein du Mouvement Desjardins, quelqu'un qu'il leur est facile de remplacer, et que sa vie ne vaut pas quelques billets de banque.

L'argent est plus important que votre vie. En ce moment, j'ai tous mes membres, mais je préférerais être mort.

[...]

J'implore du fond de mon cœur, ma vie en dépend, ma femme Denise, mon fils Pierre, ma fille Rosaline, tous mes amis, Raymond, Jean-Paul, de faire l'impossible pour venir à mon secours, de faire pression pour que je vive.

Je veux que tu saches, Denise, que mon plus grand regret est de ne pouvoir faire ce voyage que je t'avais promis au bord de la mer. Si jamais j'en sortais vivant, nous le ferons, ma Denise. Je t'aime depuis toujours.

Ton mari,

Charles Marion

Après avoir lu cette lettre particulièrement émouvante dans laquelle, non sans raison, Charles Marion mettait en cause le travail policier, je rendis visite, en compagnie d'autres confrères de travail, à l'inspecteur en chef Robert Therrien du service de recherche du Bureau des enquêtes criminelles.

Lors de notre rencontre, il dînait avec André Dugas, porte-parole de la Sûreté du Québec, dans un restaurant chic de Sherbrooke.

J'interrompis son repas pour lui demander s'il croyait qu'un appel lancé aux ravisseurs pourrait améliorer les conditions de détention de Charles Marion ou même faciliter les présentes négociations.

L'inspecteur en chef Therrien refusa de répondre sur-le-champ.

– Je vais vous répondre dans une heure ; restez à proximité.

Il me fallut attendre jusqu'à 21 h 30 avant de recevoir un appel d'André Dugas qui m'invitait à le rejoindre dans la chambre de l'inspecteur en chef Robert Therrien avec d'autres journalistes.

– Depuis le début de cette affaire, dit-il, je n'ai pas eu très souvent l'occasion de vous parler, mais j'ai cru bon cette fois de vous mettre en garde contre toute initiative de votre part. Je ne peux rien vous dire pour l'instant, mais vous avez tout intérêt à suivre mon conseil.

– Que voulez-vous dire exactement ? demandai-je, soudain intrigué. Vous êtes sur une piste ?

– Non, je n'ai rien dit de tel, mais pour votre crédibilité, je vous conseille de ne rien faire. Vous comprendrez un jour…

Venant de tout autre policier, cette demi-confidence, faite au début de l'enquête, n'aurait eu, sans doute, aucune conséquence sur la suite des événements, mais tel n'était pas le cas.

L'inspecteur en chef Robert Therrien dirigeait le service de recherche du Bureau des enquêtes criminelles.

À ce titre, il était, du moins le croyions-nous, le policier le mieux renseigné sur les développements de l'enquête. À la suite de sa mise en garde, une seule conclusion s'imposait : Charles Marion, ou l'un des membres de sa famille, trempait dans cette affaire d'enlèvement.

Ce ne fut d'abord qu'un soupçon, une confidence échangée entre journalistes d'une salle de rédaction, puis, en l'absence de toute autre nouvelle, une piste sérieuse que des reporters peu scrupuleux se virent confier.

Le *Journal de Montréal*, dans son édition du 23 août, fit part le premier de ce qui n'était, au fond, qu'une hypothèse encore dans l'esprit des policiers, du moins voulurent-ils le faire croire par la suite.

Selon le quotidien, la photographie montrant Charles Marion, la tête ensanglantée, et qu'avaient fait parvenir les ravisseurs aux autorités de la caisse populaire n'était qu'une mascarade destinée à tromper les policiers et l'employeur de la victime. Selon l'auteur de l'article, les experts de la Sûreté du Québec considéraient que le visage de l'otage avait été maquillé pour laisser croire qu'il avait été victime de mauvais traitements. « Si du sang coule de l'oreille, cela voudrait dire que la victime souffre d'une fracture du crâne. Or, avec une blessure de ce genre, un homme ne serait pas assez lucide pour rédiger la lettre de six pages qu'avait signée Charles Marion cinq jours plus tôt », concluait-on dans l'article.

Dès lors, la plupart des journaux crurent bon de dire que cette affaire « sentait mauvais », bien qu'aucun fait nouveau ne soit venu étoffer l'hypothèse de la culpabilité de la victime ou d'un membre de sa famille.

Le journal *Allô Police* mit toutefois ses lecteurs en garde : parlant de la lettre de Charles Marion dans laquelle il accusait les policiers d'avoir tout fait pour qu'il meure, l'hebdomadaire rappelait qu'aucune réponse, qu'aucune déclaration n'avaient été faites depuis, *comme si les policiers s'étaient dit : laissons passer ; aucune de ces accusations ne tiendra lorsque la vérité éclatera.*

Cette vérité ou, du moins, une bonne partie de la vérité, les policiers semblent la connaître depuis au moins une semaine.

Quelle est-elle ? Nous l'ignorons mais nous ne pouvons que reprendre en quelques phrases nos hypothèses du départ. La plus plausible, celle qui semble la plus conforme aux faits que nous connaissons – nous ne connaissons pas tout –, semble bien être celle d'un complot ourdi par un ou des individus de «l'intérieur» qui auraient fait appel à des complices de «l'extérieur». La victime a-t-elle été plus ou moins consentante ou est-elle une victime véritable, une victime dont la vie est constamment menacée depuis le samedi 6 août ?

La question se pose, comme dans tous les cas de kidnapping, mais rien ne nous permet dans ce cas précis d'émettre l'hypothèse de la complicité de la victime. C'est pourquoi nous n'avons pas analysé cette hypothèse comme nous l'avons fait pour toutes les autres.

La rumeur publique, elle, semble vouloir conclure un peu hâtivement...

Comment pouvait-il en être autrement puisque le 26 septembre un reporter de la télévision d'État déclarait que toute l'affaire de l'enlèvement de Charles Marion n'était qu'une vaste fumisterie, ajoutant que la victime avait organisé elle-même son propre enlèvement.

Sans doute le journaliste avait-il recueilli les confidences d'un officier supérieur de la Sûreté du Québec pour oser porter une telle accusation. Ma propre épouse devait faire une semblable déclaration, à la suite d'un bref séjour à Sherbrooke où elle avait longuement parlé avec divers enquêteurs.

Au lendemain de l'émission qui avait été présentée vers 23 heures, Pierre Marion me fit part de ses commentaires.

– Je m'excuse de te déranger à une heure aussi matinale.

– Tu n'as pas à t'excuser ; je ne dormais pas.

– As-tu entendu la déclaration de ton épouse à l'émission *Les gens qui font l'événement*?

– Non ! J'ai regardé la retransmission du match de baseball...

– Ah ! bon...

– Qu'a-t-elle dit ?

– Elle semble donner raison au journaliste de Radio-Canada ; elle est convaincue que mon père est impliqué dans son propre enlèvement.

– Depuis le début de l'affaire, elle est venue deux fois à Sherbrooke ; elle y a rencontré bien des gens. Elle a surtout entendu bien des conversations. Hier encore, elle me déclarait que le public se pose beaucoup de questions. À cela, je lui ai répondu que je n'étais au courant de rien. Sans doute a-t-elle agi par réaction contre les calomnies qui ont circulé à mon sujet depuis que j'ai voulu prendre une part plus active à cette affaire. Moi-même, j'ai été en colère à la suite de ces critiques ; alors imagine sa réaction.

– Oui ! Je comprends, mais tu sais, elle a été très loin dans ses commentaires.

– Que veux-tu que je te dise ? Je n'ai pas écouté l'émission.

– Tu aurais peut-être avantage à te procurer une retranscription de sa déclaration. Il n'est pas impossible que nous fassions une déclaration à ce sujet.

Il voulut connaître par la suite les derniers développements de l'enquête.

– Jusqu'à maintenant, lui répondis-je, les policiers gardent le silence le plus complet. Tous les journalistes sont incapables d'obtenir d'eux le moindre commentaire. Les autorités de la caisse populaire agissent de même. Je perds 500 $ par semaine en restant à Sherbrooke à la demande de la police ; pourtant, personne ne veut rien me dire. De plus, je suis confiné dans ma chambre d'hôtel.

Pierre Marion chercha à m'interrompre, mais je le mis en garde contre toute imprudence.

– Sincèrement, Pierre, je n'aime guère parler au téléphone. On ne sait jamais.

– Oui ! J'imagine que notre conversation est enregistrée, mais pourrait-on se voir au cours d'un déjeuner ?

– Bien sûr ! Ce sera toutefois difficile, mais je vais faire l'impossible. Entre-temps, je voudrais m'excuser auprès de toi et de ta famille si les déclarations de mon épouse vous ont blessés. Il faut la comprendre. C'est une personne nerveuse.

Depuis une éternité, nous vivons loin l'un de l'autre ; malgré cela, des confrères ont prétendu que je cherchais à m'imposer dans ce dossier, alors que mon seul but était de sortir ton père des griffes de ses ravisseurs. Elle est furieuse. Si elle a dit certaines choses, peut-être s'est-elle laissée aller à la colère, je ne sais pas. Malheureusement, je n'ai pas écouté cette émission, mais, de toute façon, je vais l'appeler ce matin pour savoir ce qui s'est produit.

Malgré mon insistance, Pierre Marion ne semblait pas vouloir excuser mon épouse. J'étais inquiet. Je me reprochais de ne pas l'avoir mise en garde contre toute déclaration intempestive à la suite de sa visite éclair, mais tant de choses s'étaient produites pendant son séjour que cette idée ne m'était pas venue à l'esprit. Et puis, il m'avait fallu la convaincre de la nécessité de ce séjour prolongé à Sherbrooke. Pour elle, ni les membres de la famille Marion, ni les policiers, ni les autorités de la caisse populaire ne valaient que je sacrifie ma vie et mon mariage, d'autant plus qu'il se trouverait toujours un mauvais plaisant pour prétendre que j'étais en quête d'une nouvelle décoration pour acte de bravoure. Au fond, je savais qu'elle avait raison, mais je ne pouvais faire autrement.

En écoutant Pierre Marion, j'étais d'ailleurs sur le point de me rendre à ses arguments.

— Si vraiment elle a été loin dans ses déclarations, lui dis-je pour couper court à notre conversation, tu peux être certain qu'elle n'a pas agi par méchanceté. Elle serait plutôt sympathique à votre cause.

— Je le sais bien, mais elle n'a pas mâché ses mots, à tel point qu'à la fin de l'émission nous étions prêts à intenter une action en justice contre elle. Mais comme il s'agit de ton épouse, nous avons préféré t'en parler. Nous savons également qu'elle n'a pas l'expérience voulue pour affronter un interviewer à la télévision.

— Qui animait cette émission ?

— Un avocat, mais je ne me rappelle pas son nom.

— Marc Trahan, sans doute. Comment a-t-il pu laisser faire ça ? Il n'a aucune excuse ; il connaît la loi pourtant.

– En te laissant, je vais te dire seulement que ma mère nous a incités et nous incite depuis le début à la tolérance et à la patience, mais je pense que la déclaration de ta femme exige une rétractation immédiate.

J'avais promis à Pierre Marion de parler à mon épouse, ce que je fis dès le matin. Je lui reprochai son imprudence, mais pouvais-je lui reprocher de croire à la culpabilité de Charles Marion ou de l'un des membres de sa famille, après tout ce qu'elle avait entendu dans ma chambre, lors de la visite de plusieurs policiers ? Comment pouvais-je lui tenir rigueur de sa conviction alors que j'entretenais les mêmes doutes ?

Il m'aurait d'ailleurs été difficile de penser autrement dans le présent contexte, après tout le battage médiatique des derniers jours et les confidences des principaux enquêteurs.

Je m'en ouvris à un certain moment à mon principal collaborateur, un jeune et brillant recherchiste qui avait coutume d'analyser tous les faits que j'avais réunis avant de préparer un texte pour divers médias auxquels je collaborais. Ce matin-là, j'avais soumis de nouveaux éléments au jugement de l'un de mes chefs des nouvelles avant de lui faire part de ma moisson. Si mon supérieur s'était laissé convaincre, tel n'avait pas été le cas de mon rédacteur.

Depuis l'instant où la rumeur de la culpabilité de Charles Marion s'était propagée hors des salles de rédaction, il avait toujours cru en l'innocence du gérant de crédit de la Caisse populaire de Sherbrooke-Est.

– Mais écoute, lui disais-je souvent, je tiens ce renseignement d'un tel…

– Tant et aussi longtemps, me répondait-il, que douze honnêtes citoyens ou citoyennes n'auront pas entendu chacune des deux parties dans cette affaire, Charles Marion est présumé innocent et il n'est pas du devoir d'un journaliste qui se respecte de propager les élucubrations de quelques policiers en mal de publicité. Je demande des preuves ; tu me fournis des indices, un début de piste.

Comme il n'aimait guère les policiers, les croyant pour la plupart dépourvus de la moindre intelligence, et surtout de la

210

moindre conscience morale, j'avais insisté, sous le prétexte qu'il s'agissait d'un texte portant ma signature.

– Je veux bien, Claude, écrire sous ta dictée, m'avait-il dit alors, mais imagine un peu ce que personne pour l'instant ne veut croire ou même présumer, pas même les policiers dont pourtant c'est également le devoir : Et si Charles Marion était innocent ?

– Ce serait atroce, ne trouvai-je qu'à dire.

– Et on aurait tout fait pour l'assassiner.

Après mûres réflexions et une nouvelle conversation avec mon chef des nouvelles, j'avais décidé de ne rien dire de ce que j'avais appris.

Quelqu'un écrivit pourtant le même jour :

Monsieur Marion, sortez donc de votre cachette...

Chapitre 18

Ce climat, soigneusement entretenu par la police avec la complicité involontaire des médias, rendit certes plus difficile le choix des deux émissaires qui devaient livrer la rançon exigée pour la libération de Charles Marion.

Plusieurs personnes pressenties par les ravisseurs, la victime ou les autorités de la caisse populaire déclinèrent l'invitation, sous divers prétextes, bien qu'elles ne manquaient jamais de rappeler lors de conversations privées qu'elles ne se feraient pas les complices du gérant de crédit.

Le 2 septembre, les ravisseurs proposaient dans un nouveau communiqué le nom de Normand Maltais, un journaliste d'expérience qui s'était établi, depuis peu, dans la région de Sherbrooke.

Deux jours plus tard, les autorités de la caisse populaire faisaient connaître leur accord et celui du journaliste.

La livraison peut effectivement se faire par l'intermédiaire de Normand Maltais. Pour ce qui est de la deuxième personne, celle-ci nous a déclaré son incapacité physique à participer à cette livraison. Nous vous demandons de désigner une autre personne, si vous jugez nécessaire de faire accompagner M. Maltais.

La réponse des ravisseurs ne se fit pas attendre. Un communiqué était découvert, le lendemain matin, dans un restaurant de Sherbrooke, où ils proposaient le fils même de la victime, Pierre Marion.

Votre choix nous laisse perplexes, répondirent les autorités. Nous étudions présentement les implications de sa participation et nous vous répondrons à ce sujet dans une communication ultérieure.

Le 8 septembre, aucune décision n'avait encore été prise.

Nous complétons actuellement notre analyse de la situation et nous devrions être en mesure de vous répondre définitivement lors de notre prochaine communication.

Tout laisse supposer que la Sûreté du Québec s'était opposée dès le départ au choix de Pierre Marion qu'elle soupçonnait d'avoir trempé dans cette affaire. Quand les autorités de la caisse populaire se virent obligées de céder aux pressions des auteurs du rapt, la publication dans un quotidien de la région du nom du deuxième émissaire, à la suite d'une fuite «calculée», permis de s'opposer au choix de Pierre Marion.

Nous désirons vous informer que le compagnon de M. Maltais devra être remplacé. Ceci est dû à des circonstances hors de notre contrôle.

[...]

Quant aux personnes susceptibles de rencontrer notre approbation en tant qu'émissaires, nous vous demandons de nous fournir quelques noms et une façon quelconque de les identifier entre nous.

Les négociations à ce chapitre devaient durer plusieurs jours encore avant que les deux parties n'en viennent à un accord.

Le 19 septembre, enfin, les ravisseurs écrivirent: *choix du deuxième émissaire accepté.*

Le soir même, tous les journalistes présents à Sherbrooke firent la tournée des cabarets et des discothèques de la région, en quête d'un policier bavard, pour découvrir l'identité de l'émissaire. Dès qu'ils m'aperçurent dans le bar de l'hôtel, certains ne manquèrent pas de se rire de moi:

– Tu dois trouver cela pénible de constater que ta popularité a baissé; les ravisseurs n'ont même pas pensé à toi. Ils ont préféré Maltais. Remarque que nous les comprenons, dirent les plus fielleux.

Mais que pouvais-je leur répondre? J'étais l'homme qu'il recherchait.

Peu de temps après mon arrivée à Sherbrooke, aux premières heures de l'affaire Marion, j'avais rencontré l'inspecteur en chef Robert Therrien du service de recherche du Bureau des enquêtes criminelles et l'officier commandant le Groupe d'intervention tactique, le capitaine Michel Lavallée. Les deux policiers m'avaient dit qu'ils pouvaient avoir besoin de mes services. Dans cet esprit, j'avais donc accepté de faire part de chacun de mes déplacements pour éviter qu'ils aient à me chercher.

Le 20 septembre, peu avant mon émission de télévision, je communiquai avec un agent du service des relations publiques de la Sûreté du Québec pour lui demander si les autorités avaient reçu un nouveau message des ravisseurs.

– Où es-tu en ce moment ?

– Dans ma chambre... à l'hôtel.

– Peux-tu rester là ? Quelqu'un doit aller te voir.

J'avais accepté, mais trois heures plus tard, personne n'était encore là. Au moment où j'allais quitter ma chambre, mon téléphone se fit entendre. Il s'agissait d'André Dugas, le porte-parole officiel de la Sûreté du Québec, qui me conviait à un déjeuner en compagnie de Daniel Duchesne, un membre du Groupe d'intervention tactique, réputé spécialiste en matière d'enlèvement. Dix minutes plus tard, j'étais auprès d'eux.

– Tu dois soupçonner la raison de notre rencontre, dit en souriant le caporal Duchesne.

– Et comment ! Le deuxième émissaire, c'est moi !

– Tu as deviné juste, mais personne ne doit l'apprendre. Les ravisseurs ont posé cette condition et nous pensons également que le secret s'impose pour éviter tout nouveau retard. Si la presse venait à l'apprendre, il faudrait t'éliminer et trouver un remplaçant. Fais donc comme si de rien n'était ; continue ton boulot à la radio, à la télévision et dans les journaux, mais n'en parle pas à personne, pas même à ton épouse ou à tes parents. Méfie-toi également des policiers ; très peu savent qui est le deuxième émissaire. Cinq ou six seulement.

– La consigne vaut également pour Maltais, ajouta André Dugas, que l'affaire Marion avait propulsé aux premières loges.

– Je fais une émission de télévision ce soir ; dois-je annuler ma participation ?

– Non ! répondit le caporal Duchesne, bien au contraire, mais sache que les ravisseurs vont regarder ton émission ; ils vont t'observer attentivement, noter chacune de tes paroles, chacun de tes gestes.

Tout au long du repas, ils me rappelèrent cette consigne du silence et je n'avais eu aucune peine à comprendre leur raison, sachant qu'ils avaient écarter Pierre Marion sous le prétexte de la révélation de son nom comme second émissaire. Comme il avait fallu insister pour obtenir que les ravisseurs consentent à donner leur accord pour ma désignation à titre de remplaçant, toute indiscrétion obligerait la Sûreté du Québec à m'écarter en toute logique, au profit d'un homme dont il ne connaissait ni les réactions ni la conduite dans de telles aventures.

Le plus difficile pour moi au cours des heures qui suivirent fut de modifier mon comportement sans rien laisser voir. À titre d'émissaire, je ne pouvais plus désormais donner libre cours à ma faconde, de peur de me mériter la défaveur de l'une ou l'autre des parties. Mon rôle futur exigeait une certaine neutralité alors qu'il était difficile, dans le contexte, de se limiter à de vagues considérations sur cette affaire.

Tout au long de cette soirée devant les caméras de télévision, j'eus le front en sueurs ! Je sentais les yeux des ravisseurs posés sur moi, cherchant à deviner mes moindres pensées. Pourtant, j'évitai tous les pièges que s'obstinait à me tendre l'animateur, qui, à plusieurs reprises, s'étonna de mon langage. La veille, j'avais tenu un tout autre discours ; fort heureusement, mon apparente apathie fut mise sur le compte de la fatigue.

Craignant par-dessus tout qu'une fuite permette aux journalistes de dévoiler l'identité du second émissaire et qu'on m'en croie responsable, je me levai tôt, le lendemain, pour acheter tous les journaux.

Rien n'avait transpiré, ce dont je me félicitai intérieurement, mais j'ignorais encore combien de temps durerait le secret si les autorités de la caisse populaire tardaient à donner leur accord pour la livraison de la rançon. Il y avait déjà eu tant de fuites !

Je me sentis presque obligé de garder la chambre pour éviter d'être vu en compagnie d'autres journalistes, jusqu'à la visite des trois principaux officiers chargés de l'affaire qui vinrent mettre un terme à mon attente.

Le caporal Daniel Duchesne entra le premier ; il s'empara de l'un des deux fauteuils. Son supérieur, le capitaine Michel Lavallée, prit place à ses côtés, tandis que l'inspecteur en chef Robert Therrien et André Dugas durent se réfugier sur le lit. Malgré leur calme apparent, une certaine tension se lisait sur leur visage comme si quelque chose allait se produire.

– C'est pour ce soir ? dis-je pour rompre le silence.

– Non ! mais pour jeudi, jeudi dans la soirée, répondit Daniel Duchesne.

Pour une raison que j'ignore encore, il semblait avoir pris la direction des opérations, mais il ne cessait de regarder le capitaine Lavallée.

– Tu devras te rendre, demain, au quartier général, à Montréal, pour passer le test du polygraphe, ajouta-t-il.

– Le test de quoi ?

– Le détecteur de mensonges si tu préfères.

– Qu'est-ce que tu racontes là ? Je dois passer au détecteur de mensonges pour aller livrer une rançon !

– Il s'agit d'une politique nouvelle de la Sûreté du Québec.

– C'est la première fois que j'entends parler de ça. Depuis quand ?

Jusqu'à cet instant, les quatre policiers avaient affiché un visage austère, ce qui était conforme à la gravité du moment, mais devant mon air incrédule, ils sourirent tous comme si j'avais fait une bonne plaisanterie.

– Vous voulez savoir si j'ai trompé ma femme ? Je peux vous donner la réponse tout de suite, mais je ne vois pas trop à quoi cela vous serait utile. Faut-il être sans tache pour aller risquer sa vie ?

– C'est une formalité, dit le caporal Duchesne.

Je n'acceptai pas cette réponse. Je voulais connaître les vraies raisons qui les avaient conduits à me faire part de cette exigence.

À force d'insister, ils durent me révéler certains dessous de l'affaire.

– Les ravisseurs, comme tu le sais déjà, ont demandé Pierre Marion comme second émissaire, me rappela Daniel Duchesne. Avant que nous acceptions leur proposition, nous l'avons obligé à s'y soumettre et lui avons fait passer le test du détecteur de mensonges.

– Mais pourquoi?

– Il nous fallait être prudents.

– Quel a été le résultat?

– Ça ne te regarde pas…

Je déduisis de cette réponse que la Sûreté du Québec croyait en la culpabilité de Charles Marion ou de celle d'un membre de sa famille; sinon, pourquoi aurait-elle soumis Pierre Marion au détecteur de mensonges? Les résultats devaient même avoir confirmé ses soupçons puisque, par une habile manœuvre, le fils de la victime avait été écarté à mon profit.

Les policiers exigeaient maintenant que je me conforme à « la règle commune » pour ne laisser rien voir de leurs soup-çons, mais cela avait si peu d'importance qu'après leur visite à ma chambre d'hôtel plus personne ne me parla de ce test.

Au matin de la livraison de la rançon, je me rendis à la station de télévision où travaillait Normand Maltais pour obtenir de lui une interview. Plusieurs confrères m'avaient devancé, comme s'ils n'ignoraient pas que quelque chose se préparait.

Depuis le début, les autorités de la caisse populaire ont joué avec la vie de Marion, avaient écrit les ravisseurs dans leur dernier communiqué, *et depuis deux semaines, avec celle de plusieurs de leurs employés et de plusieurs personnes proches de ces gens.*

Elles se fichent de la vie de Marion; voilà pourquoi nous devons nous attaquer aussi à ces gens. Elles ont un actif de

218

8,5 milliards de dollars et elles ne sont quand même pas prêtes à verser un million pour sauver plusieurs vies.

Depuis le début, les responsables de la caisse ont été fourbes, faux, hypocrites, menteurs, irréfléchis et irresponsables. Cette lettre est le dernier communiqué de notre part; s'ils n'acceptent pas le délai de libération de Marion exigé par nous, le massacre va commencer aux quatre points cardinaux de la province, de la Côte-Nord à l'Ontario; de l'Abitibi aux frontières des États-Unis. Ça pourra être n'importe où et n'importe qui, des petites caissières aux présidents de caisse, leur famille, leurs associés, des petits clients comme des gros, vivant au fond de la campagne comme à la ville. Nous ne les enlèverons pas; nous les liquiderons simplement. En même temps, ils recevront la tête de Marion et seulement cela. Le reste de son corps, ils ne le retrouveront jamais.

Au plus tard 48 heures après la publication de cette lettre, les autorités de la caisse devront nous faire savoir par Normand Maltais qu'elles acceptent [...] Si elles ne le font pas, la guerre va continuer, et pour la faire cesser, il faudra 2 millions de dollars [...]

Les niaiseries sont finies; l'action va commencer. Nous avons des gars capables dans notre organisation et dans toutes sortes de domaine, n'en doutez pas. J'ai perdu presque tout contrôle sur mon groupe et si tout ceci devait tourner au tragique, je considérerai que ma part de responsabilités est moins grande que celle des autorités.

Les ravisseurs avaient écrit: 48 heures après la publication de cette lettre.

Avant l'expiration de ce délai, Normand Maltais avait lu sur les ondes de la télévision un communiqué où les autorités se rendaient aux exigences des auteurs du rapt.

Personne n'ignorait donc plus que la livraison de la rançon se ferait dans les prochaines heures.

Normand Maltais avait du mal à cacher ses sentiments. Il m'expliqua sa nervosité par son manque d'expérience.

– Tu as l'habitude de vivre de telles situations, mais pour moi, c'est tout nouveau.

– Tout va bien se passer, j'en suis certain, mais dis-moi, Normand, et sois certain que cela restera entre nous, connais-tu le nom de ton compagnon.

– La Sûreté du Québec n'a rien voulu me dire. Il se peut que ce soit Aline Yergeau, la secrétaire de Marion.

– Ah! bon, fis-je, tu as peut-être raison.

Quelqu'un nous interrompit; je profitai de cette diversion pour filer sans demander mon reste, de peur, devant son anxiété, de céder à l'envie de le rassurer. Et puis, j'avais encore plusieurs choses à faire avant d'être prêt. Tandis qu'André Dugas mettait dans la confidence les présidents de la station de radio et de la station de télévision qui m'employaient, j'appelai mon épouse. En peu de mots, je lui résumai la situation.

– Je m'attendais à cet appel, dit-elle. Je savais que tu étais le second émissaire. Je ne suis donc pas surprise; ce qui m'aurait surprise, c'est d'apprendre qu'il s'agissait de quelqu'un d'autre.

– N'en parle à personne, et ne sois pas inquiète. Pendant plusieurs heures, nous ne pourrons pas nous parler. Cela peut durer un jour, deux même.

– Y a-t-il du danger?

– Peut-être! Sûrement, mais certainement moins que les autres fois. De toute façon, s'il m'arrivait quelque chose, tu serais la première renseignée. André Dugas m'a promis de t'appeler aussitôt. Comme ça, tu n'auras pas à te faire du souci.

– Fais attention, ne t'expose pas inutilement.

À mon père, je tins le même langage en lui demandant toutefois de ne rien dire à ma mère. Je lui fis part également des dispositions que j'avais prises dans le cas où le pire m'arriverait.

– C'est toi qui devras avertir ma femme; André Dugas va tenir la nouvelle secrète tant que tu ne l'auras pas fait.

Lui aussi me mit en garde contre mon emportement, mais ses conseils de prudence étaient inutiles. Tant de choses s'étaient produites depuis le début de cette affaire que ma méfiance n'avait jamais été aussi grande.

Malgré mes paroles rassurantes, j'avais réellement peur de mourir, j'avais le sentiment que cela se terminerait mal pour Normand Maltais et pour moi, que nous serions les victimes de cette invraisemblable comédie où la victime se transformait en coupable, où la police se riait des menaces de mort, où les supplications d'un homme sur le point de mourir provoquaient l'indifférence ou même le rire.

S'il en avait été autrement, jamais je n'aurais demandé à un prêtre dont la voiture était stationnée aux côtés de la mienne, dans un restaurant où l'on servait à l'auto, de m'entendre en confession.

Depuis longtemps, je n'allais plus à la messe ; j'avais cessé d'accorder de l'importance à toutes ces choses. Pourtant, à la veille de faire la livraison de la rançon de Charles Marion, j'avais voulu me mettre en règle, même avec Dieu.

Vers 13 h 15, j'étais de retour à mon hôtel ; Daniel Duchesne m'attendait à la porte de sa chambre.

– Entre, un moment, j'ai quelque chose à te remettre.

Il fouilla dans sa valise d'où il sortit une perruque à la chevelure frisée.

– Tu mettras ça pour te rendre à la Caisse populaire de Sherbrooke-Est.

– Pourquoi ?

– Il ne faut pas que les journalistes te reconnaissent quand tu entreras dans la caisse. Choisis également des vêtements que tu portes peu souvent, mais tu me diras comment tu seras habillé ce soir, au moment de la livraison.

– C'est pour vous permettre de m'identifier plus facilement quand je serai à la morgue ?

– Tu as peur ? me demanda Daniel Duchesne.

– D'une certaine façon, un peu. J'ai l'habitude des criminels. Je connais leur mentalité et aucun d'eux ne peut dire que j'aie déjà manqué à ma parole. J'ai même souvent témoigné en leur faveur mais, avec les *Sept Serpents*, j'ai la vague impression d'avoir affaire à des intellectuels, et tu sais, moi, les intellectuels, je m'en méfie dans l'action. Mais dis-moi, pourquoi veux-tu savoir comment je serai vêtu ce soir ? Tu n'as pas répondu à ma question.

– C'est pour permettre à nos gars de te repérer plus facilement.

– Vous serez donc là ?

– Non ! Non ! du moins, pas à proximité. Si vous vous perdez dans les bois, je ne veux pas que quelqu'un te tire dessus.

Tandis qu'il m'entretenait des mesures de sécurité que la Sûreté du Québec avait adoptées pour nous protéger, je changeai rapidement de vêtements.

– Ne bouge pas ! me dit le caporal Duchesne avant d'aller chercher sa voiture. Ne bouge pas ! Je vais demander si la voie est libre.

Une auto de la Sûreté du Québec se tenait aux abords de la Caisse populaire de Sherbrooke-Est. Deux agents montaient la garde à bord pour repérer les journalistes à l'affût. Comme aucun n'était en vue, ils invitèrent Daniel Duchesne à faire vite pour profiter de cet instant de répit.

Après un trajet sans histoire, que je fis couché derrière la banquette avant, j'entrai dans l'établissement vers 15 h 30 ; Normand Maltais n'était pas encore là. Je trouvai refuge dans un bureau inoccupé ; une plaque m'apprit, fait étrange, qu'il s'agissait du bureau de Charles Marion.

– Maltais s'en vient, me dit Daniel Duchesne en entrant dans la pièce. Donne-moi les clés de ta chambre ; je vais aller reporter tes vêtements.

D'autres policiers étaient venus se joindre à nous ; l'un d'eux tenait en main un talkie-walkie. Une voix en jaillit, haute et claire : « Nous arrivons ! »

– C'est le garde du corps de Maltais, m'apprit le lieutenant Jean-Guy Charland de l'escouade des crimes contre la personne, ils seront là dans une minute.

– Il sait maintenant qui doit l'accompagner ?

– Oui ! J'avais donné l'ordre qu'on le lui apprenne juste avant son départ de son hôtel.

Normand Maltais pénétra dans le bureau en coup de vent, cinq minutes plus tard. Il était en nage, mais il souriait, apparemment heureux du choix des ravisseurs et de la Sûreté du Québec.

— Tu as dû bien rire de ma naïveté ?

— Et comment ! mais je devais me taire. Daniel Duchesne m'avait fait jurer de ne rien dire à personne, pas même à toi.

— Je me sens tout drôle à l'intérieur.

— Ça va se passer une fois dans l'action.

— C'est facile à dire pour toi ; tu as déjà vécu ça, mais moi, je débute dans la « profession ».

— Il suffit de garder son sang-froid. Après tout, notre rôle se limite à livrer à bon port deux grosses valises.

Le lieutenant Jean-Guy Charland s'était approché de nous, en compagnie du caporal Yvon Fauchon, tandis que nous échangions des impressions personnelles. Il nous interrompit pour nous faire une dernière recommandation.

— À partir de cet instant, vous oubliez tous les ordres que vous avez déjà reçus. En toutes choses, vous ferez ce que vous dira de faire le caporal Fauchon. Quoi qu'il dise ou fasse, vous lui obéirez.

— Comment ? Il sera avec nous ? Mais les ravisseurs ont…

— Je viens de vous dire que vous devez oublier toutes les directives passées, y compris celles des ravisseurs. Le caporal Fauchon va vous accompagner par mesure de sécurité. Vous devez l'accepter ou vous retournez à votre hôtel. La livraison sera annulée pour ce soir.

J'aurais dû refuser, mais je jugeai qu'il était trop tard ; les craintes que j'entretenais à l'égard des auteurs du rapt m'incitèrent également à taire mon désaccord, d'autant plus qu'on nous invitait maintenant à venir compter l'argent de la rançon.

Les 500 000 $, dont les ravisseurs avaient accepté le paiement, s'y trouvaient, en liasses de 10 000 $. Je cherchai des marques, mais dans ma hâte je ne pus rien trouver. Le directeur de la Caisse populaire de Sherbrooke-Est, Claude Stébenne, ferma lui-même les deux valises.

Il était 16 heures quand Normand Maltais s'assit à la place de Charles Marion, dans l'attente de l'appel des ravisseurs qui n'avaient confiance qu'en lui. Je croyais que nous n'aurions guère à attendre avant de recevoir leurs dernières instructions, mais à 18 h 30, nous étions toujours là, ne sachant que faire.

Puis, un policier qui prenait les appels nous fit signe de prendre l'appareil. Normand Maltais s'exécuta; il s'identifia avant de noter une adresse sur un bout de papier.

– Il y a un communiqué qui nous attend sous une boîte postale de la rue Murray, me dit-il après avoir raccroché.

Les policiers nous laissèrent y aller seuls en prendre livraison. Le texte, passablement long, précisait que nous devions nous rendre, vers 20 h 30, dans le petit village de Saint-Gérard d'où, par un talkie-walkie, nous recevrions l'ordre de nous diriger vers le lieu, encore inconnu, de la livraison.

Les ravisseurs terminaient leur message en déclarant:

Nous ne permettrons pas à la police de prendre quelque initiative que ce soit, dans un rayon de 80 kilomètres de Saint-Gérard. Nous vérifierons soigneusement si elle tient parole, et ce, pendant une période de trois heures après la livraison de la rançon.

N'ayez aucune crainte, rien ne peut vous arriver. Nous avons de l'admiration et de la reconnaissance pour vous. Nous ne vous verrons même pas. Nous vous remercions à l'avance pour ce que vous faites.

Si la police ou les autorités de la caisse populaire ne respectent pas tous leurs engagements, deux groupes de personnes, en des points différents, seront exécutées en même temps que Marion.

[...]

Les ravisseurs avaient écrit qu'il nous fallait transmettre le message suivant sur les ondes de la radio: «On vous répondra de la même façon, demain, à 20 h 30.»

Maltais conclut que la livraison de la rançon était reportée au lendemain; pour en avoir le cœur net, je pris la direction de la Caisse populaire de Sherbrooke-Est où on nous apprit qu'il s'agissait d'un code pour tromper la vigilance des journalistes.

Pour me conformer aux dernières instructions des ravisseurs qui exigeaient que nous quittions la caisse immédiatement après avoir pris connaissance de leur dernier communiqué, je repris le volant avec, cette fois, un deuxième passager à bord, le caporal Yvon Fauchon, qui s'était glissé discrètement dans la voiture, entre le siège avant et la banquette arrière. Malgré l'obscurité, je devinai la forme d'une mitraillette dans ses mains.

Au village de Weedon, les ravisseurs n'avaient toujours pas donné signe de vie. J'avais pourtant signalé notre présence à cinq reprises selon le code prévu : « Mobile 39 se rapporte au Mobile 44 du point numéro 1. »

– Qu'est-ce qu'on fait ? demandai-je à Normand Maltais.

– Continue… Je ne vois pas ce qu'on pourrait faire d'autre.

Comme le caporal Fauchon ne semblait pas avoir d'autre idée, je pris la direction de Saint-Gérard. À l'entrée du village, je lançai sur les ondes le second appel : « Mobile 39 se rapporte au Mobile 44 du point numéro 2. »

Quelqu'un nous répondit :

– Mobile 39, rendez-vous devant le terrain de camping *Les Sapins* et attendez nos dernières instructions.

L'inconnu n'en dit pas davantage jusqu'à notre arrivée au point de contrôle.

– Claude et Normand, dit-il alors, nous vous avons choisis parce que nous avons confiance en vous, mais on m'informe que des agents de la Sûreté du Québec ont envahi Saint-Gérard.

– À ma connaissance, la Sûreté du Québec respecte les engagements qu'elle a pris. Il ne devrait pas y avoir de policiers dans un rayon de 80 kilomètres, répondis-je.

– Tu vas rouler pendant 10 kilomètres. Dès que tu auras franchi cette distance, recule lentement…

– Je vois un chemin de terre, dis-je.

– Emprunte cette route…

– Avant, nous voudrions uriner. Nous pouvons ?

– Oui ! mais faites vite.

Une fois de retour dans l'auto, je repris contact avec notre interlocuteur. Il exigea de Normand Maltais qu'il allume la lumière de bord ; heureusement pour nous, l'ampoule était brûlée.

– Avez-vous une lampe de poche ?

– Oui ! dis-je.

– Normand, éclaire la figure de Claude.

Sans doute n'avait-il pas reconnu ma voix et craignait-il qu'un policier n'ait pris ma place au volant. Je me prêtai de bonne grâce à cette manœuvre, tout en songeant que je formais une cible merveilleuse pour un tireur habile.

– Ça va. Maintenant, Claude, tu vas emprunter le chemin de terre, mais, auparavant, éteins tes phares; laisse seulement tes clignotants d'urgence.

J'obéis, mais au moment où j'allais lancer le moteur, notre interlocuteur fit une nouvelle demande.

– Le coffre arrière?

– Répétez votre message, Mobile 44; je n'ai rien compris.

– Laissez votre coffre arrière ouvert.

– Et pourquoi? demandai-je

– Quelqu'un va monter à bord, en cours de route.

Le caporal Fauchon qui s'était tenu coi depuis notre départ, tira sur mon coupe-vent pour attirer mon attention. D'un geste de la main, il fit signe de refuser.

– Et s'il insiste?

– Nous verrons bien, chuchota-t-il.

Je revins sur les ondes pour faire part à notre interlocuteur de notre refus, ce qu'il accepta sans faire preuve de la moindre contrariété. Notre automobile roulait à 25 kilomètres à l'heure.

– Mobile 44 à Mobile 39! Accélérez jusqu'à 50 kilomètres à l'heure.

J'obéis à cette injonction, mais à peine avais-je enfoncé l'accélérateur que notre interlocuteur se fit entendre à nouveau.

– Stoppez, Mobile 39. Maltais… descends de l'auto… va porter les deux valises en bordure du chemin. Fais ça vite; il y a une voiture qui vient.

Mon compagnon sortit en vitesse, une valise dans chaque main. Au moment où il déposait la rançon, j'entendis distinctement le bruit d'une voiture qui freinait à moins de 10 mètres à peine.

– Les imbéciles, murmura Yvon Fauchon bien malgré lui.

«Nous étions suivis», me dis-je, tandis que Normand Maltais pénétrait en trombe dans la voiture.

– Il y a quelqu'un qui vient. Démarre en vitesse.

– Je sais. J'ai entendu.

L'auto bondit en avant, faisant voler les cailloux du chemin. Malgré l'étroitesse de la route et les crevasses formées par la pluie, je maintins la pédale au plancher. Nous étions projetés tantôt en avant, tantôt en arrière, incapables de nous retenir.

– Arrête, hurla Normand Maltais. Tu vas nous tuer.

Je ralentis juste à temps pour éviter une camionnette qui, sortant d'un chemin secondaire, venait de nous barrer la route… tous feux éteints.

Chapitre 19

La camionnette s'était immobilisée à peu de distance de nous. Deux hommes, en tenue de chasse, quittèrent le véhicule pour marcher dans notre direction.

– Que se passe-t-il? demanda Yvon Fauchon qui ne pouvait rien voir.

Mort de peur, j'étais certain de me trouver en présence des ravisseurs. Ils verraient que la Sûreté du Québec n'avait pas tenu sa promesse; ils découvriraient le caporal caché derrière la banquette avant. Ils nous tueraient peut-être...

– Donne-moi ton revolver, dis-je à Yvon Fauchon.

– Veux-tu me dire ce qui arrive, à la fin?

– Il y a deux gars qui s'amènent... ils ont une lampe de poche... ils sont armés... des revolvers... des calibres .45. Passe-moi ton revolver... dépêche-toi!

Sans perdre de vue les intrus, je voulus m'emparer de l'arme du policier. Avoir trouvé le revolver, j'aurais fait feu aussitôt.

– Ne dites rien... ne bougez surtout pas, nous adjurait Yvon Fauchon.

La vitre de ma portière était baissée. Il faisait froid; l'humidité me pénétrait de toutes parts, mais je ne sentais ni le froid de la nuit, ni l'humidité ambiante. Je fixais l'un des deux hommes, celui qui contournait lentement l'avant de notre auto pour venir à mes côtés.

Il me pointa son arme sur la tête avant d'allumer sa lampe de poche.

– Qu'est-ce que vous faites ici?

– Mon nom est Claude Poirier. Je suis avec Normand Maltais… affaire Charles Marion.

Yvon Fauchon n'eut pas à intervenir. Comprenant dans quel guêpier ils s'étaient jetés, les deux hommes, deux gardes-chasses à l'affût, coururent vers leur véhicule pour quitter ces parages peu hospitaliers. Leur fuite ne me rassura guère ; j'ignorais encore qu'il s'agissait de gardes-chasses, de même que je ne savais rien de la présence de centaines de policiers dans les environs. Ils avaient été si peu discrets que quatre voitures les avaient suivis ; des journalistes s'y trouvaient dans l'espoir d'obtenir une photo montrant les ravisseurs s'enfuyant avec la rançon…

En rebroussant chemin, j'étais heureux de la présence d'Yvon Fauchon dans la voiture, croyant m'être trouvé en présence des ravisseurs, mais j'étais loin d'imaginer qu'il était là pour assurer notre protection, au moment de l'intervention de ses confrères. Je découvris la vérité en croisant une voiture sur le chemin du retour. Dès que nous l'aperçûmes, le caporal Fauchon lança un appel sur son talkie-walkie pour demander aux occupants de s'identifier.

– C'était un piège, dis-je à Maltais.

– Ils n'auraient pas osé mettre notre vie en danger sans nous le dire.

– Tu penses ça ; pourquoi crois-tu que Fauchon est avec nous ?…

Le policier se taisait.

– De toute façon, ils ont raté leur coup…

Contre toute attente, les ravisseurs reprirent contact avec nous le 28 septembre, cinq jours après l'échec de la première tentative de remise de la rançon pour nous faire part de nouvelles instructions.

Beaucoup d'yeux vous regardent, précisaient-ils dans leur communiqué, *et nous ferons connaître nos intentions par la voie d'un journal. C'est avec vous, les émissaires, que nous faisons affaire et avec personne d'autre. Vous avez toute notre confiance. Gardez votre lumière allumée à l'intérieur de la voiture et nous vous donnons droit à la présence d'un garde du corps qui ne devra jamais quitter la voiture. Roulez à une vitesse raisonnable et prenez note que nous abattrons ceux qui vous suivront... et sans avertissement.*

J'étais heureux d'apprendre que les ravisseurs nous conservaient leur confiance, une confiance d'autant plus méritée que nous avions été trompés, au même titre qu'eux. Je me fis le serment d'être désormais sur mes gardes pour éviter de tomber, une fois encore, dans le panneau, mais les événements se précipitèrent, à un point tel que je perdis encore une fois le sens des réalités. Le contexte dans lequel nous vivions ne facilitait guère la réflexion. Nous étions isolés, sans contact avec l'extérieur, à l'exception d'un garde du corps qui ne nous quittait jamais des yeux, 24 heures sur 24, condamnés à l'oisiveté la plus totale. Quand survint l'appel des ravisseurs, j'étais si heureux de sortir de ma retraite que je ne songeai pas à mettre en doute la parole des policiers.

Les valises contenant la rançon, par exemple, étaient scellées à notre arrivée à la caisse. Je demandai pourquoi on ne nous avait pas attendu pour les fermer.

– Croyais-tu qu'on laisserait 500 000 $ vagabonder sans prendre un minimum de précautions. Ne sois pas inquiet... L'argent est bien là.

Pressé d'en finir, je me contentai de cette vague réponse avant de rejoindre Normand Maltais et Yvon Fauchon dans la voiture. Sur mon chemin, je croisai un employé de la Caisse populaire de Sherbrooke-Est. Il m'interpella à voix basse.

– Vous allez faire une nouvelle tentative?

– Oui! Nous allons essayer.

– Pourquoi faites-vous ça pour ce salaud de Marion? Je vous jure qu'il ne vaut pas que vous risquiez votre vie pour lui.

Sans en dire davantage, il disparut derrière un comptoir.

Sans le regard de plusieurs employés qui avaient suivi son manège, j'aurais voulu le rappeler pour qu'il s'explique, mais le caporal Fauchon me faisait signe de me hâter. Sans doute parce que la voie était libre. Une escouade spéciale avait été mise sur pied pour tenir en échec la meute des journalistes. Postée à proximité d'une station radiophonique que les reporters avaient choisie comme quartier général, elle se tenait prête à confisquer les permis de conduire de tous ceux qui voudraient nous prendre en chasse. Cette guérilla entre les forces de l'ordre et les représentants des médias durait d'ailleurs depuis l'échec de la première tentative de remise de la rançon. Des perquisitions dans les chambres des journalistes avaient d'ailleurs permis à la Sûreté du Québec, au lendemain de cet échec, de saisir des radios capables de capter les ondes de la police.

J'avais peine à comprendre l'acharnement de mes confrères, mais j'en tenais les dirigeants de la Sûreté du Québec pour responsables. S'ils avaient accordé le moindre intérêt à la vie de Charles Marion, il leur aurait été facile d'obtenir de la plupart des médias la possibilité de freiner l'ardeur de leurs représentants. Comment pouvaient-ils l'exiger maintenant alors qu'ils avaient toujours parlé de Charles Marion comme d'un suspect, sinon comme d'un coupable ?

Je me tournai vers le caporal Fauchon, assis sur la banquette arrière, avant de mettre le moteur en marche.

– Nous sommes bien d'accord... pas de filature, pas d'entourloupettes comme la dernière fois, sinon, je t'avertis, je ne marche plus.

– Ils respecteront le périmètre interdit, comme promis.

– Bon ! Allons-y.

Je devais me diriger vers le village de Lennoxville. Une fois sorti de la ville de Sherbrooke, j'allumai mes clignotants d'urgence et la lumière de bord, comme l'avaient demandé les ravisseurs, avant de lancer un premier appel sur les ondes.

– Mobile 39 appelle Mobile 44. Mobile 39 appelle Mobile 44...

Au septième appel, je reçus enfin une réponse.

– Vous êtes sur la mauvaise route, Mobile 39. Faites demi-tour.

À cause du brouillard, je devais avoir raté le croisement. J'étais incapable de voir à plus d'un mètre ; une défectuosité des essuie-glaces et la lumière du plafonnier allumé rendaient d'ailleurs la conduite extrêmement dangereuse. Je demandai à Normand Maltais de quitter la voiture pour me guider.

La nuit était lugubre. Ses pas dans les cailloux du chemin éveillaient des échos sinistres. Yvon Fauchon lui-même n'était pas tranquille. Il tendait l'oreille pour capter l'approche éventuelle des ravisseurs que nous croyions à proximité. Dans ma hâte, je fis plusieurs fausses manœuvres mais, à la fin, refusant de prêter davantage l'oreille aux plaintes et aux bruissements de la forêt toute proche, je retrouvai suffisamment d'aplomb pour me remettre dans le droit chemin. Nos ennuis étaient pourtant loin d'être terminés ; une fois encore, je dus faire demi-tour, ce qui avait accru la tension dans la voiture. Personne n'osait parler ; je regrettais presque l'absence de filature.

Qui pouvait savoir ce que nous réservaient les ravisseurs après l'échec de la première tentative ? Peut-être étaient-ils ulcérés d'avoir été joués ? Rien dans leur manière ne rappelait le criminel d'habitude, prompt à l'action, prêt à tous les risques. Ceux qui détenaient Charles Marion faisaient preuve d'une prudence excessive, comme si le temps ne pouvait jouer contre eux. Leur assurance, plus que les menaces qu'ils avaient proférées, m'inquiétait.

Craignant de me tromper à nouveau, en laissant croire aux ravisseurs que je cherchais à gagner du temps, je m'adressai au Mobile 44.

– Nous roulons présentement à 8 km/h.

– Avancez encore, lentement.

– D'accord.

– O.K. ! Arrêtez-vous à gauche.

Normand Maltais se tourna pour regarder si nous étions suivis.

– Eh ! dit-il, soudain alerté. Il y a deux gars qui viennent de traverser la route en courant.

J'eus beau regarder, je ne vis rien, mais Yvon Fauchon se tint prêt à faire feu.

– Je suis en face d'un petit chemin, précisai-je à mon interlocuteur quand je revins en ondes.

– Vous allez descendre de la voiture pour empruntez ce chemin sur une distance de 50 mètres. Vous placerez les valises bien en vue une fois rendus.

– Il était entendu pourtant avec les autorités que nous ne devions pas quitter le véhicule.

– Une seule personne pourra aller porter les valises.

– D'accord !

– Avancez en direction du chemin.

– Je vois un panneau routier.

– Bon ! Allez déposer les valises de l'autre côté, face au panneau.

– Je vais répéter vos instructions pour voir si nous nous sommes bien compris, dis-je pour éviter tout malentendu, avant de préciser que j'accompagnerais Normand Maltais. Nous sortons, précisai-je, du véhicule et nous déposons les valises en bordure du chemin, face au panneau routier.

– Oui ! et vous retournerez à Sherbrooke pour attendre nos instructions qui vous parviendront dans 15 minutes.

– Normand Maltais et moi n'avons accepté le rôle d'émissaires dans cette affaire que pour sauver la vie de Charles Marion. Avons-nous votre parole que ce dernier sera libéré dans les plus brefs délais ?

– Vous aurez bientôt de nos nouvelles. Si tout fonctionne comme prévu, Charles Marion sera libéré.

– Très bien… nous allons porter les valises, mais sachez que Normand Maltais et moi ne sommes que deux émissaires. Immédiatement après, nous nous dirigerons vers Sherbrooke pour attendre votre prochain message.

– Nous avons besoin d'un délai de 15 minutes pour nous assurer que la police a suivi nos instructions. Par la suite, nous reprendrons contact avec vous.

– Nous descendons de la voiture. J'ai en main une lampe de poche.

– Donnez-nous 15 minutes. Si nous soupçonnons un piège, il y aura des représailles tôt ou tard…

En compagnie de Normand Maltais, j'ouvris le coffre arrière pour prendre une valise, puis je me préparai à traverser la route.

Une voiture venait vers nous, à vitesse réduite. Je restai immobile, ébloui par les phares du véhicule qui ralentit en me croisant. J'entendis la voix d'une femme qui disait à son compagnon : « C'est Claude Poirier ! »

Alors que la voiture poursuivait son chemin, j'aperçus une antenne révélant la présence à bord d'une radio... Les occupants avaient dû suivre ma conversation avec les ravisseurs ; d'autres amateurs pouvaient donc venir. Je n'attendis plus Normand Maltais. Je me hâtai d'aller déposer ma valise. Moins heureux, mon compagnon dû attendre le passage de cinq voitures avant de pouvoir traverser la chaussée. Je pris mon mal en patience non sans pester contre sa lenteur, contre les indiscrétions de la presse, contre le rôle odieux qu'on nous obligeait à tenir.

J'étais dégoûté, inquiet de ce qui allait suivre. Comment les ravisseurs avaient-ils pu faire confiance à la Sûreté du Québec ? Qui pouvait jurer que la voie était libre ? Croyaient-ils sincèrement que nous pouvions obtenir de la police la promesse qu'elle tienne ses engagements ?

Leur analyse de la situation était complètement fausse.

Depuis le début de cette affaire, les ravisseurs s'étaient joués de la Sûreté du Québec. Ils avaient démontré, hors de tout doute, son impuissance à faire face à une situation de crise. Désormais, les principaux enquêteurs mis en cause ne devaient plus chercher qu'à redorer leur blason, au mépris de la vie de Charles Marion et de celle des deux émissaires.

Pauvres idiots que nous étions !

– Tu viens, me dit Normand Maltais. J'entends du bruit.

Toutes ces idées noires m'avaient fait oublier le danger. Fait étrange, le son familier de la voix de Normand Maltais me redonna espoir.

Notre mission s'achevait ; jusqu'à maintenant, rien ne s'était produit qui prouvait que la police avait, une fois encore, trompé les ravisseurs. Désespérément, je cherchais à croire que tout se terminerait bien, que Charles Marion serait libéré, que je pourrais retrouver ma femme, que je reprendrais mon travail, en oubliant tous les mauvais souvenirs que j'avais accumulés au cours des soixante derniers jours.

– D'accord, allons-y, dis-je à mon compagnon, presque rassuré maintenant.

Yvon Fauchon nous avait attendus dans la voiture. Il tenait son talkie-walkie quand je repris ma place au volant, mais je n'y attachai aucune importance. Peu après avoir démarré, j'avertis les ravisseurs de notre départ.

– Nous sommes en direction de Sherbrooke et les valises sont à l'endroit indiqué.

Quelqu'un parla dans la voiture, mais ce n'était ni Normand Maltais, ni Yvon Fauchon. Cette voix ne provenait pas non plus de la radio BP.

«Les valises bougent...»

– Qu'est-ce que c'est ça? demanda mon compagnon au caporal Fauchon. Vous avez installé un émetteur dans les valises?

– Pas un mot, dit-il. On vous expliquera plus tard. Laissez-moi écouter...

Charles Marion ne devait pas retrouver la liberté au terme de cette nuit brumeuse du 29 septembre. Peu après le dépôt des valises, des centaines de policiers envahissaient les bois des environs, bloquant toutes les routes de la région, battant chaque buisson à la recherche des ravisseurs qu'on savait tout près. Sous le vrombissement d'un DC-3, volant en rase-mottes pour éclairer la forêt, la meute traquait un gibier qui semblait s'être dérobé. Trois malheureux neveux de Charles Marion qui se présentèrent à un barrage routier peu après le déclenchement des opérations de ratissage furent appréhendés; ils devaient passer la nuit en prison pour expliquer leur présence à cet endroit avant d'être relâchés, faute de preuves.

Au lever du jour, sous un ciel pluvieux, la Sûreté du Québec devait avouer que la seconde tentative de remise de la rançon s'était soldée par un échec, de même que les battues entreprises pour s'emparer des ravisseurs, puis elle interdit ses locaux à la presse, espérant sans doute tenir secrets certains éléments peu honorables de l'affaire.

Cette mesure qui venait trop tard ne servit à rien puisque, deux jours plus tard, le *Journal de Montréal* publiait un long communiqué des auteurs du rapt.

Nous vous demandons, écrivaient-ils au rédacteur en chef, de publier intégralement cette lettre sitôt reçue. Elle relate toute la vérité sur le déroulement des trois tentatives de versement de la rançon, en échange de la libération de l'otage...

Une tentative avait été tenue secrète; dans cette lettre, le public allait apprendre encore bien d'autres choses.

... que les autorités et les émissaires ont fait consciemment avorter. Le but de cette lettre n'est pas de confondre les autorités de la Caisse populaire ou la Sûreté du Québec ou, encore, les émissaires, car nous croyons que personne ne peut plus être assez stupide pour se laisser encore leurrer par ces idiots et ces menteurs. Nous voulons plutôt essayer, dans un ultime effort, d'organiser une vraie tentative d'échange, avec deux vrais émissaires dont le seul souci sera la réussite de l'opération.

Il serait trop long de faire le récit des bourdes qu'ont accumulées les autorités et les émissaires; nous n'en donnerons qu'un court aperçu. Auparavant, nous tenons à préciser que cette lettre a été faite en trois copies. Deux d'entre elles sont destinées aux nouveaux émissaires ou à ceux qu'ils désigneront pour les remplacer. Ces derniers doivent répondre aux critères suivants; ils devront être intelligents et respecter la neutralité la plus totale; ils ne devront donc pas être vendus aux forces de l'ordre. Poirier et Maltais ne répondent à aucun de ces critères.

Pour en terminer au plus vite, nous suggérons Pierre Marion et Jean-Paul Fouquet; ils devraient accepter, car ils sont deux des rares personnes qui veulent revoir Charles Marion vivant.

Le nom de Jean-Paul Fouquet a déjà été proposé, mais les autorités de la caisse populaire avaient rejeté sa candidature car, selon elles, il ne répondait pas à leurs exigences. Aujourd'hui, on sait pourquoi.

Suivait une liste de qualificatifs peu honorables :

Fourbes, hypocrites, menteurs, vendus, mouchards…

Pierre Marion, utilise ta cervelle. On t'a incité à refuser le rôle d'émissaire pour n'avoir pas à verser la rançon, même au prix de la mort de ton père. Sauver l'argent est la seule préoccupation de ces chiens, ils pourraient sauver la face, en éliminant le seul homme qui peut se disculper de toutes les saletés et les calomnies qu'ils ont fait courir sur son compte, sans faire preuve d'ailleurs de la moindre intelligence. Qu'ils lui fassent seulement passer le test du détecteur de mensonges et la vérité éclatera. Eux, les chiens galeux et quelques journalistes, s'en repentiront pour tout le restant de leur vie. Ces salauds ne pourraient pas endurer le dixième de ce qu'a vécu ton père. Nous n'aurons d'ailleurs pas à le liquider si l'affaire s'éternise encore un peu. Il mourra des suites de sa captivité.

Tous ces bâtards ne lui arrivent même pas à la cheville au chapitre de l'honnêteté ; les choses sont à ce point, d'ailleurs, que nous en arrivons à le prendre en pitié tout en ayant de l'admiration pour son courage.

Malgré cela, il ne s'en sortira pas si les avares ne paient pas, mais contrairement à ce que nous avons dit, nous commencerons par liquider […] les caissières et les clients de la caisse, petits et gros, comme ces médecins, ceux de la Clinique familiale Saint-Vincent qui négocient présentement un emprunt de 100 000 $ à la Caisse populaire de Sherbrooke-Est. L'affaire ne finira pas en queue de poisson comme plusieurs l'ont affirmé, mais par le versement de la rançon ou par un bain de sang… du sang, puis du sang.

Sans autre préambule, les ravisseurs enchaînaient sur une description pour le moins partiale des trois tentatives de remise de la rançon.

Première tentative. Poirier et Maltais doivent partir à 19 h 15 ; ils annoncent qu'ils ne pourront pas quitter la caisse avant 21 h 15. Raison officielle : permettre aux 300 chiens de prendre position dans le secteur prévu pour la remise. Les deux émissaires arrivent enfin sur place vers 22 h 15, alors qu'ils n'avaient que 4 kilomètres à parcourir. En temps normal, il faut quelques minutes pour parcourir cette distance. Ils prennent une demi-heure, posent des questions stupides, demandent pour aller uriner chacun leur tour, font répéter au moindre prétexte alors que la communication est parfaite. Une fois arrivés à destination, ils continuent leurs niaiseries. Il n'est question que de valises, non pas d'argent puisque, à l'intérieur des valises, se trouvent des liasses de morceaux de cartons, liés avec de la corde blanche, 25 kilos par valise, avec en prime un émetteur. Les valises sont également piégées. Les deux émissaires font tout pour retarder leur remise, donnant ainsi le temps aux autos des chiens qui roulent, tous feux éteints, de les rejoindre. Comme nos deux crottés d'émissaires ont stationné leur voiture dans une courbe, les chiens ont toutes les peines du monde à l'éviter. Nous aurions pu ouvrir le feu sur tout ce beau monde, mais nous avions promis à Maltais et à Poirier qu'il ne leur arriverait rien ; de plus, nous ne savions pas encore si les deux émissaires étaient responsables de la situation.

Nous ne tirons pas, mais nous regardons agir ces idiots. Ils sont à 10 mètres de nous. Maltais et Poirier déposent les 4 valises sur le bord de la route ; les chiens vont se placer à 100 mètres plus loin et ils attendent.

C'est alors qu'arrivent les deux gardes-chasses à bord d'une camionnette munie d'un gyrophare. Ils se rendent auprès de Poirier qui s'identifie ; les deux hommes, en êtres intelligents, remontent dans leur véhicule et quittent l'endroit.

Ils sont immédiatement pris en chasse. Un véhicule non identifié les poursuit à plus de 160 kilomètres à l'heure.

Pendant ce temps, deux gros gars qui n'avaient pas l'air plus brillants que les autres étaient couchés en lieu et place de la banquette arrière, dans la voiture des émissaires. Ils étaient armés de mitraillettes et nous attendaient.

Peu avant l'arrivée de Poirier et Maltais, un DC-3 avait survolé l'endroit où nous nous cachions.

Deuxième tentative. Cette tentative n'a pas été révélée au public ; elle devait avoir lieu à Stornoway. Huit heures avant *la remise, 300 policiers, si on peut les appeler ainsi, ont pris position tandis que deux hélicoptères étaient cachés dans un champ. Nous avons observé ces manœuvres avant de nous retirer pour aller préparer une troisième rencontre, prévue pour le soir même, à Lennoxville.*

Troisième tentative. Maltais reçoit des instructions par téléphone. L'appel devait durer deux minutes; il fait si bien l'idiot, pour permettre aux chiens de localiser la provenance de l'appel, que la conversation dure douze minutes. L'itinéraire soumis aux émissaires est des plus simples: emprunter la rue King Ouest, tourner à gauche au croisement de la rue Belvédère et rouler sur une distance de 15 kilomètres. Le trajet ne peut prendre plus de dix minutes en voiture; ils prendront plus de deux heures, en dépit de la présence d'un chien armé qui connaît bien la ville.

Leur raison: nous nous sommes perdus à cause du brouillard. La vraie raison: permettre aux policiers de prendre position. Nous exigeons des ravisseurs qu'ils déposent les valises; ils repartent, mais les chiens sont tout autour. Nous nous emparons des valises et nous marchons sur une distance de 400 mètres avant de vérifier leur contenu. À l'aide d'un couteau, nous les ouvrons par les côtés pour découvrir qu'elles sont encore piégées et qu'elles contiennent du papier et un émetteur.

Nous avons laissé les valises sur place pour rentrer tranquillement au bercail, tout en contemplant le spectacle des bouffons. Sans l'émetteur, les chiens auraient été incapables de retrouver les valises.

Nous n'étions pas deux, mais six...

[...]

Après ce compte rendu des trois opérations dont une m'était inconnue, les ravisseurs donnaient de nouvelles instructions.

Moins de 48 heures après la publication de cette lettre, Claude Stébenne lui-même devra donner à la télévision les noms des émissaires: Pierre Marion et Jean-Paul Fouquet ou ceux qu'ils auront désignés pour les remplacer, et nous assurer *que les autorités de la caisse populaire respecteront leurs engagements. La police ne devra pas intervenir avant un délai de 3 heures [...]; quant aux nouveaux émissaires, ils devront vérifier le contenu des valises. Les 500 000 $ devront s'y trouver en vieilles coupures de 10 $ et 20 $, sans aucune marque. Pas d'émetteur non plus, ni de valises piégées.*

[...]

Si, passé le délai de 48 heures, nous ne recevons aucune réponse, la guerre commencera et, pour l'arrêter, il faudra 2 millions de dollars.

Les ravisseurs terminaient leur communiqué en s'en prenant à nouveau à moi.

Ce petit play-boy à la gomme a tous les culots : il se dit prêt à faire une nouvelle tentative de livraison de la rançon, alors que le soir même du troisième échec, tenant Maltais par le cou, il annonçait que nous étions encerclés et que l'affaire était terminée. Pour l'instant, il doit chercher un nouveau mensonge pour expliquer tous les faits mystérieux ; il prétendra vraisemblablement qu'il y a eu, à son insu, échanges des valises, qu'il a risqué sa vie ou autre chose semblable, mais qu'il ne nous prenne pas pour aussi fous que lui.

Pourquoi dites-vous, les journalistes, qu'il s'agit d'une drôle d'affaire ? Elle est pourtant simple à comprendre. Les autorités sont prêtes à sacrifier quiconque pour garder leurs dollars, et les chiens, à inventer n'importe quoi pour se sauver la face. Ne sont-ils pas ridicules à en mourir ? Ils ont fait de cette affaire une affaire personnelle, quitte, s'il le faut, à dépenser une fortune. Jusqu'à maintenant, d'ailleurs, ils ont englouti 4,5 millions de dollars.

Arrêtez d'inventer ; vous connaissez peu de chose de cette affaire.

Tenez-vous bien... c'est parti !

Tel que présenté, notre comportement au cours des deux tentatives d'échange auxquelles nous avions participé pouvait laisser quelque doute sur notre intégrité. Il était vrai, par exemple, que la Sûreté du Québec nous avait accompagnés, lors de la première livraison, jusqu'aux abords du village de

Saint-Gérard. Je craignais alors qu'un groupe étranger au rapt de Charles Marion ne cherche à s'emparer des 500 000 $. Pouvais-je deviner alors que les policiers nous suivraient jusqu'au lieu de la remise pour tenter de s'emparer des ravisseurs? À l'exception de l'affaire d'Orsainville où je n'avais pas encore réussi à faire la part des choses, la Sûreté du Québec avait toujours tenu parole.

Que, dans une affaire de ce genre, par suite de je ne sais quel concours de circonstances, elle ait modifié sa stratégie, j'en étais le premier surpris. Les ravisseurs pouvaient donc m'accuser d'avoir fait preuve de naïveté puisque je n'avais pas su prendre des précautions élémentaires, mais de complicité avec les policiers, non! C'était mal me connaître: c'était surtout ignorer mon passé.

En compagnie de Normand Maltais, je tins une conférence de presse pour faire la lumière sur une partie de l'affaire, celle dont je pouvais rendre compte: le contenu des valises, la présence d'un policier dans notre voiture, les délais pour attendre les lieux des deux remises, les difficultés de communication, l'attitude de la Sûreté du Québec à notre endroit, mais bien des choses restaient inexpliquées.

Pourquoi les policiers avaient-ils risqué la vie de Charles Marion depuis le début de son enlèvement? Pourquoi avaient-ils refusé les conditions des ravisseurs comme s'ils avaient voulu faire avorter toute remise de rançon? Pourquoi n'avaient-ils pas fait appel aux membres de la famille Marion pour lancer un appel aux ravisseurs, comme cela se fait généralement en pareil cas? Pourquoi nous avaient-ils imposé la présence d'un policier dans notre voiture alors que les auteurs du rapt l'avaient formellement défendu? Pourquoi avaient-ils piégé à une reprise, ou peut-être deux, les valises contenant prétendument la rançon, mettant ainsi la vie de Charles Marion et même celle des émissaires en danger?

Au fond, il ne pouvait y avoir qu'une seule réponse: la Sûreté du Québec tenait Charles Marion pour coupable. Si elle avait entretenu le moindre doute, si petit soit-il, jamais elle n'aurait agi ainsi alors qu'elle ne pouvait ignorer que chacun de ses gestes équivalait à la condamnation à mort d'un innocent.

Au cours de la rencontre avec les membres de la presse, encore présente à Sherbrooke, je remis une déclaration écrite qui rétablissait certains faits ; le rôle particulier qu'avait joué la Sûreté du Québec y était mis en lumière.

1. Le 23 septembre 1977, nous nous sommes rendus à la Caisse populaire de Sherbrooke-Est où, suivant les instructions des ravisseurs, nous avons procédé à la vérification du contenu de deux valises. Nous avons constaté qu'une somme de 500 000 $, en vieilles coupures de 10 $ et de 20 $, était répartie dans les deux valises. Nous avons nous-mêmes fermé ces valises après nous être assurés qu'elles ne contenaient que l'argent et rien d'autre.

2. À la suite des mêmes instructions, nous nous sommes rendus à l'endroit convenu pour y déposer les deux valises. Lors de ce premier échange, s'il y a eu substitution des valises, cela n'a pu être fait qu'à notre insu. Et si tel est le cas, seule la police aurait pu poser un tel geste, à notre insu et à l'insu des autorités de la Caisse populaire de Sherbrooke-Est.

3. De plus, la présence d'un policier dans notre véhicule nous a été imposée à la toute dernière minute, sous le prétexte d'assurer notre sécurité.

Quant aux commentaires sur nos présumés agissements et retards, les ravisseurs savent bien eux-mêmes que telle n'est pas la vérité. Ils ne peuvent pas non plus nous tenir rigueur de la présence des policiers sur les lieux de la rançon, puisque nous ignorions tout de leurs projets. La police s'est toujours refusée à nous informer de ses intentions.

4. En ce qui concerne la seconde tentative de remise de la rançon, nous n'en avons rien su jusqu'à la publication de la lettre des ravisseurs.

5. Lors de la troisième tentative, nous avons suivi les instructions des ravisseurs et nous nous sommes rendus à la caisse populaire entre 19 heures et 20 heures, le jeudi 29 septembre, pour y attendre de nouvelles instructions. La police n'a pas permis la réouverture des valises, compte tenu du fait, disait-elle, qu'elles avaient été scellées dès notre retour après la tentative du 23 septembre.

À cette exception près, nous avons observé toutes les instructions. Un policier nous accompagnait, avec cette fois l'accord des ravisseurs.

6. En ce qui a trait aux actions de la police qui devaient suivre la livraison des valises, encore là, nous avions été tenus dans l'ignorance. Il va sans dire que si nous l'avions su, nous aurions refusé de participer à la livraison.

7. En terminant, et après avoir exposé certains faits qui étaient vraisemblablement inconnus des ravisseurs, nous demeurons convaincus d'avoir accompli notre tâche honnête-ment. Il faut cependant comprendre que toute action policière était hors de notre contrôle. Les faits étant rétablis, nous demeurons à la disposition des ravisseurs et sommes toujours disposés à agir en tant qu'émissaires.

Et c'était signé Claude Poirier et Normand Maltais. Ce dernier ajouta toutefois en aparté, à l'intention d'un camarade :

– Je regrette de m'être impliqué à ce point dans l'affaire Marion. Je me rends compte aujourd'hui que, pour sauvegar-der sa réputation, la Sûreté du Québec a joué avec ma vie et celle de Claude Poirier.

Le caporal Yvon Fauchon avait déclaré au moment où nous avions découvert l'existence d'un émetteur dans une des valises que nous aurions, plus tard, toutes les explications qui s'imposaient.

Toutes ces explications tinrent dans un communiqué laconique que la Sûreté du Québec distribua peu après la tenue de notre propre conférence de presse.

À la suite des déclarations des deux émissaires, Normand Maltais et Claude Poirier, la Sûreté du Québec confirme qu'elle a dû agir comme elle l'a fait, étant donné la nature de l'enquête et de l'opération policière en cours.

Elle regrette toutefois d'avoir eu à agir de la sorte à l'égard de M. Maltais et de M. Poirier.

Mais ni le porte-parole de la Sûreté du Québec, ni les autorités de la caisse populaire ne firent état des dernières exigences des ravisseurs de Charles Marion, captif depuis plus de deux mois, Dieu sait dans quelles conditions. Ils se refusèrent également à expliquer aux rares journalistes inquiets du sort de la victime les raisons de cet étrange silence jusqu'à ce que les auteurs du rapt jettent une nouvelle lueur sur les bizarreries de cette affaire.

Le 20 octobre, ils écrivirent à un journaliste d'un quotidien de Sherbrooke; la missive contenait des instructions de Charles Marion à son fils pour qu'il emprunte 50 000 $ en offrant ses propriétés en garantie.

La police ne permet pas, déclaraient les ravisseurs dans le message adressé aux journalistes, *que l'otage achète sa vie et sa liberté avec son propre argent.*

Dimanche dernier, le 16 octobre, la famille recevait un appel de notre part lui disant d'aller chercher une lettre de Charles Marion et divers documents et instructions, le tout inséré dans une enveloppe placée devant l'hôpital Hôtel-Dieu. La ligne téléphonique de la famille Marion étant sous surveillance, les policiers la devancèrent et lui volèrent les documents.

Nous téléphonons mardi et mercredi à la famille; Pierre Marion nous déclare qu'il s'était rendu, en compagnie d'un avocat, à la Sûreté du Québec pour réclamer les documents qui lui étaient destinés et que les policiers avaient refusé de les lui remettre.

Nous vous envoyons copie de ces deux lettres...

[...]

La lettre des ravisseurs s'adressaient par la suite à la famille Marion.

Vous connaissez maintenant la teneur des lettres qui vous avaient été expédiées; prenez dix avocats s'il le faut, mais exigez qu'on vous remette les originaux, bien que nous croyions que vous pouvez vous en passer désormais.

Est-ce que les proches et les amis de Charles Marion tiennent suffisamment à lui pour se regrouper et lui prêter la somme exigée ?

Comprenons-nous bien : cette somme ne paie que les dépenses de l'opération : elle vous permettra toutefois d'acheter la vie de Charles Marion et la tranquillité de sa famille, rien d'autre. Il faut admettre cependant que nous voulons lui permettre de confondre tous les calomnieux, tous les salauds, tous les chiens qui l'ont détruit, mais les policiers sont prêts à tout pour qu'il soit tué, afin qu'il ne puisse pas témoigner de son innocence.

Le 27 octobre 1977, après 83 jours de captivité, Charles Marion retrouvait la liberté, son fils ayant rempli chacune des conditions posées par les ravisseurs, mais le drame du gérant de crédit de la Caisse populaire de Sherbrooke-Est n'allait pas prendre fin pour autant.

Rares sont ceux qui crurent sa version des faits, rares furent ceux qui voulurent admettre qu'il pouvait tout ignorer de sa prison et de ses ravisseurs, qu'il avait été enchaîné au cou et à un pied pendant 83 jours, qu'il s'était nourri, pendant tout ce temps, de charcuterie, qu'il avait tenu le compte des jours en faisant des marques sur les murs de sa prison et que les rats avaient été ses seuls compagnons pendant cette longue et interminable attente... de la mort ou de la liberté.

La sortie d'un livre où il relatait son étrange aventure ne lui valut guère plus la sympathie du public et des membres de la presse. Le doute était encore dans tous les esprits ; de nouvelles rumeurs se propageaient, lui valant d'être encore tenu pour le principal suspect.

Il en fut ainsi jusqu'à l'arrestation de cinq suspects, et la découverte, dans la région de Sherbrooke, d'une cache d'à peine 3 mètres sur 3 mètres, creusée dans le sol humide de la forêt.

Peut-être aurais-je à répondre de n'avoir pas observé la consigne du silence dans l'affaire Marion, mais pouvais-je encore me taire ?

L'avoir fait plus tôt d'ailleurs, en butte à la vindicte des principaux enquêteurs de la Sûreté du Québec, peut-être n'aurais-je pas pu jouer le moindre rôle dans les événements survenus, le 8 mars 1978, à la prison commune de Saint-Jérôme ; peut-être alors m'aurait-il été épargné de connaître, après d'intolérables jours d'angoisse, l'amertume d'un nouvel échec.

Partie VI

S'ils le prennent ainsi, nous ne sortirons pas tant qu'ils n'auront pas changé d'idée. Vous pouvez leur suggérer d'appeler tout de suite l'entrepreneur des pompes funèbres qui habite en face de la prison, qu'ils commandent des cercueils pour toute la bande, nous y compris... Nous ne leur donnerons pas la chance de nous fusiller ; nous allons nous tirer une balle dans la tête après avoir liquidé les gardiens.

Edgar Roussel dit *Ti-Mé*

Chapitre 20

Robert La Haye marchait de long en large, tout en fumant sa pipe. Je ne pus m'empêcher d'admirer son calme, tandis que je rongeais mon frein devant le téléphone. Depuis trois jours déjà, enfermés dans une vaste pièce sinistre du vieux palais de justice de Saint-Jérôme, nous attendions un appel des mutins, retranchés au sous-sol, dans le quartier de détention.

– Qu'est-ce qu'ils attendent pour commencer ? répétai-je pour la quatrième fois.

– Pourquoi veux-tu qu'ils se hâtent ? dit Robert La Haye, que mon impatience étonnait. Ils sont armés ; ils ont de la nourriture pour des mois ; ils ont la télévision et la radio. Pour eux, c'est la belle vie.

Je savais tout cela ; je savais même que les mutins s'étaient rendus maîtres du central téléphonique. Quand l'épouse de Robert La Haye l'avait appelé, c'est l'un d'entre eux qui lui avait transmis l'appel, mais, à ma grande déception, il n'avait fait aucune allusion à une rencontre prochaine.

– Je me demande ce qu'ils ont en tête, dis-je à mon compagnon.

– Qui peut savoir ? N'oublie pas qu'ils ont d'abord cherché à s'enfuir. Il n'avait donc rien prévu avant de s'emparer des otages.

– La prise d'otages n'était pas prévue, c'est certain, mais ils avaient sûrement préparé quelque chose, sinon comment expliquer la présence du revolver entre les mains de Roland Simard.

Les premiers rapports de la Sûreté du Québec m'avaient appris l'existence de cette arme, mais personne ne savait encore sa provenance. Roland Simard avait été conduit au palais de justice de Saint-Jérôme pour répondre du meurtre d'un détenu de l'institut Archambault, poignardé à mort, le 1er janvier 1977, pendant la projection d'un film.

Deux témoins du crime, Edgar Roussel et un certain Lucien Jacques, avaient accompagné l'accusé à Saint-Jérôme, bien que le procureur de la Couronne n'eût entretenu aucun espoir de les voir raconter ce qu'ils savaient.

Au moment de l'ajournement du procès pour l'heure du déjeuner, Roland Simard avait été reconduit, menottes aux mains et chaînes aux pieds, dans une cellule de la section réservée aux femmes, mais les gardiens n'avaient pas songé à le fouiller. Vers 12 h 45, quand il avait demandé la permission de se rendre à la salle de toilettes, c'est sans méfiance que le directeur adjoint de la prison avait ouvert sa cellule. L'arme lui avait été brandie sous le nez avant qu'il ne soit proprement assommé.

Avant de songer à délivrer ses deux amis, Roland Simard avait d'abord fait une courte visite au vestiaire des gardiens où il s'était emparé de quatre revolvers de calibre .38, des vrais cette fois, puisque celui qu'il avait en main n'était qu'une excellente reproduction d'un Luger. En l'espace de quelques minutes, plusieurs gardiens avaient été faits prisonniers, tandis que plusieurs autres, dont deux agents de la Sûreté du Québec qui se trouvaient à la cafétéria de la prison, avaient réussi à prendre la fuite, mettant ainsi fin aux projets d'évasion des détenus.

Edgar Roussel avait alors pris le commandement de l'opération. Il avait d'abord transformé rapidement la prison en une véritable forteresse, faisant barricader portes et fenêtres à l'aide de classeurs, de bureaux, de distributrices automatiques de boissons gazeuses, puis il avait fait part de ses intentions à un policier, venu aux renseignements.

– Tu vas aller dire aux *bœufs* que nous détenons 20 otages... et que nous n'avons pas l'intention de les lâcher. S'ils veulent éviter un bain de sang, qu'ils nous amènent Claude Poirier et Robert La Haye.

– Ce sont eux ? demandai-je à Robert La Haye qui avait décroché vivement l'appareil. Il me fit signe que oui.

– Enfin, me dis-je, heureux de quitter le bureau où, pendant trois jours, nous avions attendu cet appel.

– Ils nous attendent, dit mon compagnon après avoir raccroché. Je vais avertir la Sûreté du Québec.

Déjà, nous savions qu'un policier sans arme devait nous accompagner dans la cour de la prison, mais Edgar Roussel avait exigé qu'il ne s'approche pas à plus de 10 mètres de l'entrée, au risque d'être tué. En voyant apparaître le policier choisi, je ne pus m'empêcher d'avoir certaines pensées désobligeantes à son endroit au rappel des événements de Sherbrooke, mais je m'abstins de faire un commentaire.

Un détenu, embrigadé par les mutins, guettait notre arrivée. Sa tête disparut à l'intérieur dès que j'eus posé le doigt sur le bouton de la sonnette de l'entrée. Malgré ce guetteur, j'avais jugé préférable de faire part de notre présence pour éviter toute méprise. Je criai même à haute voix le nom de Robert La Haye et le mien avant de pénétrer dans le corridor menant à une seconde porte dont une distributrice automatique de boissons gazeuses interdisait l'ouverture. Un espace étroit avait été laissé libre d'où fusa une voix familière :

– Salut les gars, dit Edgar Roussel.

Je me penchai légèrement pour voir notre interlocuteur, tandis que Robert La Haye, plus petit de taille, se haussait sur la pointe de ses souliers.

Edgar Roussel souriait.

– N'est-ce pas que c'est une belle prise d'otages… ? Si le *Chat* voit tout ça du paradis, il doit être fier de ses anciens copains.

– Est-ce que Poirier est là ? demanda quelqu'un placé derrière lui.

Je ne pouvais voir ; je frissonnai quand l'inconnu dit à nouveau, d'une voix rauque : « Tu es là, Poirier ? »

– Montre-toi ! Tu verras bien par toi-même si je suis là !

Cheveux longs, le visage glabre, alors que Roussel arborait une superbe moustache, Roland Simard sortit la tête ; mais, contrairement à son compagnon qui n'avait toujours pas quitté le carreau, il pointait une arme en notre direction. «C'est un homme imprévisible, m'avait dit le capitaine Michel Lavallée. Il est impossible de prévoir ce qu'il fera dans la minute qui suit. Quant à Roussel, tu le connais bien ; tu sais qu'en prison il est encore plus dangereux que Richard Blass, et, chose importante, chacun de ses coups est froidement calculé. Je pense que tu peux compter sur lui pour que rien n'arrive aux otages.»

Je fis mine de n'avoir pas vu le revolver de Roland Simard.

– Eh bien ! Roland, ça me fait plaisir de te rencontrer.

– Moi aussi ! Je pense que nous nous verrons souvent au cours des prochaines heures.

– Tu veux voir avec quoi Roland a fait son coup ? me demanda Edgar Roussel.

– Sûr que ça m'intéresse.

– Attends ! je reviens… toi, Roland, surveille le *bœuf* dans la cour ; s'il approche, descends-le.

Un instant plus tard, Edgar Roussel était de retour ; il brandissait un Luger. Quand je l'eus soupesé, je vis bien qu'il était fait de bois poli, peint en noir et brun, avec du cirage à chaussures. Aucun détail ne manquait, y compris le chien de l'arme, relevé comme en position de tir. Il était facile de comprendre, en voyant ce travail fignolé, comment le directeur adjoint s'était laissé tromper.

– Il est beau, n'est-ce pas ? me dit Edgar Roussel. En 20 ans de prison, jamais je n'ai vu quelque chose d'aussi bien fait, mais je préfère tout de même mon calibre .38, conclut-il en souriant de plus belle. Mon vieux, si t'avais vu les gardiens et les flics filer quand nous sommes apparus dans la cafétéria. Les idiots, ils avaient laissé leurs armes au vestiaire. Nous ne leur avons pas donné le temps de ramasser leurs affaires ; s'ils avaient eu des ailes, ils se seraient envolés. Ils sont forts, les *bœufs*, mais seulement quand ils ont une arme dans la main et qu'ils sont en bande. Autrement, ce sont de véritables mauviettes.

– Les simples agents peut-être, Edgar, mais pas ceux qui viennent d'arriver.

– Ils sont là ?

– Oui !

– Prévost avec sa bande ?

– Oui !

– Marcel Lacoste est là également ?

– Je ne l'ai pas vu, mais sûrement. Il fait partie de la section du sergent Prévost.

– Tu devrais lui demander de t'accompagner la prochaine fois ; lui, on permettrait qu'il s'approche.

– Ce n'est pas le temps de faire des idioties.

– Tu sais bien que nous ne ferons rien tant et aussi longtemps que les *bœufs* resteront tranquilles, mais s'ils essaient de rentrer ici, on tue les gardes, c'est aussi simple que ça. Et puis, nous ne leur donnerons pas la chance de nous fusiller ; nous allons nous tirer une balle dans la tête après avoir liquidé les gardiens.

– Je vais le leur dire, répondis-je ; tu me donnes ta parole, Edgar, qu'il n'arrivera rien aux gardiens.

– Tu as notre parole ; je vais d'ailleurs aller t'en chercher un. Vous verrez par vous-mêmes qu'ils sont bien traités.

J'entendis un bruit de chaise, puis un garde, torse nu, les mains apparemment entravées dans le dos, apparut au carreau.

– Tout va bien ? lui demandai-je.

Pendant quelques secondes, il hésita, la fatigue se lisait dans son regard. Il murmura :

– C'est un enfer ici…

Les yeux de Roland Simard, qui était resté à ses côtés, brillèrent d'une lueur mauvaise. Je m'empressai de détourner son attention en faisant une blague.

– Profitez de votre congé ; bientôt, il vous faudra reprendre le boulot.

– Ne nous laissez pas tomber. Notre vie dépend de vous deux.

– Soyez sans crainte. Nous allons vous sortir tous de là.

Quand Edgar Roussel revint à sa place, Robert La Haye lui proposa de relâcher deux gardiens en échange de notre présence à l'intérieur de la prison. Le plan pouvait réussir puisque les trois mutins avaient libéré deux otages, des détenus dont la santé était quelque peu chancelante, moins de 24 heures après s'être rendus maîtres de la prison. Deux autres détenus avaient aussi retrouvé leur liberté vers 15 h 20, la veille. Le matin, trois nouveaux otages, dont un gardien, quittaient la prison selon nos vœux.

Il restait encore à l'intérieur, cinq gardiens, un commis à l'emploi de la prison et sept détenus.

– Je voudrais bien discuter le coup avec toi, mon savant procureur, mais je pense que tu es plus utile à l'extérieur. Ne t'en fais pas pour les gardiens; nous allons bien les traiter.

– Tu as la liste de vos demandes?

– La voilà! Ne regarde pas les fautes. Je l'ai écrite aussi lisiblement que possible.

Je m'approchai de Robert La Haye pour lire par-dessus son épaule le texte qu'Edgar Roussel lui avait remis.

1. Nous avons choisi comme négociateurs l'avocat Robert La Haye et le journaliste Claude Poirier, était-il écrit en guise de préambule. *Agiront, à titre d'observateurs, l'animateur radiophonique Georges Aubry et M. Claude Jacques.*

– Qui est ce Claude Jacques? demandai-je, en interrompant ma lecture.

– C'est le frère de Lucien, celui qui est avec nous.

– Bon! Tu me diras où nous pouvons le trouver, dis-je avant de reprendre ma lecture.

2. Le transfert à l'institut Archambault de Sainte-Anne-des-Plaines ou dans une institution de leur choix les détenus suivants:

Les trois premiers m'étaient connus:

Réal Brousseau;

Bertrand Janvier;

Serge Robin.

Le nom des dix autres m'était moins familier.

Michel English;

John Wanisusky;

Michel Jacques;

Jacques Deschênes;

Michel MacLellan;
Eddy Kula;
Roland Benjamin;
John Blackburn;
James Verner;
Jean-Paul Alarie.

3. La livraison de 500 capsules de préludine de 75 milligrammes.

4. La livraison de 500 valiums.

5. Dix cartouches de cigarettes de marque Export A.

6. Des sauf-conduits pour le Brésil nous seront remis, ainsi qu'une somme de 500 000 $. Outre cela, une entente devra intervenir entre le consul du Brésil et les autorités canadiennes qui rende impossible toute demande d'extradition. Cette lettre devra être signée par le Gouverneur général, le premier ministre Pierre Trudeau, le premier ministre René Lévesque, le ministre québécois de la Justice, Me Marc-André Bédard, en présence des deux négociateurs et des deux observateurs. Dans un prochain communiqué, nous vous ferons part de nos exigences afin d'assurer notre sécurité pendant le trajet entre Saint-Jérôme et l'aéroport international de Mirabel.

7. Les membres de notre famille devront obtenir la permission de nous rendre visite avant notre départ.

Une photo polaroïd, montrant le quartier de détention où six gibets avaient été dressés, accompagnait le document.

Un quotidien du matin à fort tirage titrait le lendemain qu'un nouvel émissaire pouvait être appelé à intervenir dans l'affaire de la prise d'otages de la prison commune de Saint-Jérôme. Le nom d'un avocat montréalais, était même cité dans l'article, ainsi que celui de Claude Jacques.

Selon le reporter, les deux hommes avaient laissé entrevoir, la veille au cours d'une conférence de presse, que l'un d'eux pouvait se joindre aux deux émissaires actuels.

J'étais furieux.

– Tu as lu ?

Robert La Haye s'extirpa de son lit, les cheveux en broussailles, encore mal réveillé. Le manque de sommeil avait creusé des cernes sous ses yeux.

– Tu sais quelle heure il est ?

– Oui ! 7 heures et puis après ?

– Mais nous nous sommes couchés à 5 heures ; tu n'es pas un peu fou ? Je me recouche.

– Nous n'avons pas le temps. Il faut faire quelque chose. Appelle Roussel.

– Veux-tu te taire un peu… laisse-moi lire.

Sans plus se préoccuper de ma présence, Robert La Haye se plongea dans la lecture de l'article. J'étais fasciné par sa capacité de concentration. Tout au cours de la nuit, j'avais été à même d'apprécier cette qualité chez lui. Il avait étudié chacune des demandes des mutins, pointant celles qu'il lui serait faciles de défendre auprès des autorités.

– Les cigarettes, avait-il dit : aucun problème. Les pilules : le nombre est trop élevé, mais nous pourrons faire une contreproposition quand les autorités nous feront part de leur refus ; le transfert des détenus : il y a des précédents. Elles devraient accepter d'autant plus que le Centre de détention correctionnelle vient d'ouvrir ses portes. Les sauf-conduits, ça, c'est une autre histoire.

Edgar Roussel avait bien eu raison de lui dire en nous quittant : «Tu as du pain sur la planche, mon cher savant procureur ; toi qui, habituellement, me reproches de faire appel à tes services pour quelques repas chauds, des cigarettes et d'autres niaiseries du genre, cette fois, je pense que le problème est à ta mesure.»

– Ce n'est pas l'affaire d'une journée, lui avait rétorqué Robert La Haye, et des nouvelles telles qu'en publiaient les journaux du matin n'étaient pas pour accélérer les choses.

– De quoi aurons-nous l'air devant la Sûreté du Québec, cet après-midi, quand nous lui présenterons les demandes des mutins ?

– Je vais les appeler pour exiger un texte confirmant notre mandat, dit mon compagnon sans se départir de son calme. Nous ferons parvenir des copies aux journaux. Je vais exiger également qu'il ne soit plus question de convier les observateurs à la table des négociations ; cela ne ferait que nuire à leur cause.

J'avais approuvé avec enthousiasme le projet de Robert La Haye qui, au cours d'une brève conversation téléphonique, fit part de nos réactions, après la lecture des journaux du matin.

Un nouveau texte des mutins nous fut remis peu après.

Après avoir discuté, moi, Edgar Roussel, et mes compagnons, Lucien Jacques et Roland Simard, nous réaffirmons notre volonté d'avoir pour négociateurs Me Robert La Haye et Claude Poirier. Nous rejetons l'aide des observateurs déjà demandés, soit Georges Aubry et Claude Jacques. Nous ne rentrerons d'ailleurs plus en contact avec eux. Nous demandons également à Me Frank Shoofey de ne pas intervenir ni directement ni indirectement dans le processus des négociations. Nous lui demandons, de plus, de cesser toutes déclarations relativement à cette prise d'otages puisqu'il n'a reçu aucune demande dans ce sens de notre part.

Fort de ce nouveau mandat, Robert La Haye qui avait pris l'initiative dans cette affaire pouvait désormais amorcer la ronde des négociations. Je pris contact avec la Sûreté du Québec qui dépêcha un hélicoptère à Saint-Jérôme pour nous ramener dans la métropole.

Une réunion se tint d'abord en présence d'officiers supérieurs de la Sûreté du Québec, puis il nous fallut voir leurs dirigeants qui ne voulurent pas davantage écouter nos arguments.

Comme l'avait prévu Robert La Haye, la Sûreté du Québec ne fit aucune objection à l'octroi de cigarettes et des « médicaments » ; le transfert des détenus ne semblait guère non plus poser un problème insurmontable, mais elle opposa une fin de non-recevoir à la demande de sauf-conduits pour le Brésil ou même pour l'Algérie.

– Vous condamnez à mort les six gardiens, sachez-le !

– Écoute bien, Poirier. Un ministre a été enlevé et on n'a pas cédé au chantage, dit un des policiers présents, connu pour son franc-parler, ce n'est pas pour, aujourd'hui, céder à trois gars qui détiennent des gardiens de prison.

Un officier supérieur prit aussitôt la parole pour tenter de dissiper le malaise qu'avaient suscité les paroles de son subordonné.

– Vous devez dire aux mutins qu'ils n'ont rien à espérer ; le ministère de la Justice refusera d'entendre leurs demandes. Ils se leurrent également quand ils croient qu'un pays, quel qu'il soit, acceptera de les accueillir.

– Mais dans l'affaire James Richard Cross, Cuba a bien voulu recevoir les ravisseurs ?

– C'était différent. Il ne s'agissait pas de prisonniers de droit commun et puis, rien ne prouvait qu'ils s'étaient rendus coupables de l'enlèvement du diplomate.

– Il était gardé par eux.

– C'est la seule chose que nous pouvions prouver au moment où ils se sont envolés vers Cuba.

Cette casuistique m'ennuyait, d'autant plus que c'était la première fois qu'un porte-parole officiel de la Sûreté du Québec faisait état de l'existence, au Canada, d'un statut de prisonnier politique, alors que ce titre avait toujours été refusé à la dizaine d'ex-membres du Front de libération du Québec qui croupissaient en prison. Je me laissai aller à un mouvement de colère, provoquant une violente sortie de l'inspecteur en chef Raymond Bellemare.

– Nous n'avons pas besoin de toi, Poirier, lança-t-il, la figure congestionnée. Nous n'avons pas été te chercher ; tu ne feras donc pas la loi ici.

Toute la discussion s'était amorcée autour de la question du transfert des détenus mentionnés dans la lettre. J'étais partisan de faire part aux mutins de l'accord des autorités, mais les officiers de la Sûreté du Québec s'y opposaient farouchement. J'avais fait référence à mes états de service pour expliquer ma position, ce qui avait déclenché l'ire de l'inspecteur en chef Bellemare. Je revins à la charge, cette fois, en mettant carte sur table.

– J'ai dans le passé agi à titre de médiateur, mais jamais pour le compte de la police, ne l'oubliez pas. J'étais là, avec votre accord, et non pour votre compte, pour sauver des vies, aussi bien celles des otages que celles des mutins. Aujourd'hui, c'est différent. Je ne suis qu'un émissaire, l'un des émissaires des mutins, l'un de leurs porte-parole. Je ferai donc comme bon me semble.

Je savais pourquoi la Sûreté du Québec nous interdisait de faire part de sa décision au sujet du transfert des détenus ; comme elle refusait d'accepter la demande de sauf-conduits, elle espérait détourner l'attention des mutins en les obligeant à épuiser leurs ressources en se battant pour cette question.

– De toute façon, cessez de vous inquiéter. Votre refus de considérer la demande de sauf-conduits ne nous empêchera pas de poursuivre nos démarches plus haut.

– Pourquoi ? Ces démarches sont inutiles, je vous l'ai déjà dit.

– Parce que nous avons reçu le mandat de faire l'impossible et, de plus, s'il fallait nous avouer vaincus maintenant, ce serait condamner à coup sûr les otages.

La guérilla qui opposait alors le gouvernement fédéral au gouvernement du Parti québécois allait sérieusement compliquer notre tâche en rendant impossibles toutes discussions directes entre les deux parties, chacune se repliant dans un légalisme de pure forme pour n'avoir pas à reconnaître l'autorité de son vis-à-vis. Bien plus que la question de sauf-conduits, l'obligation de devoir faire appel à Ottawa ennuyait les fonctionnaires du ministère québécois de la Justice alors que le représentant du Solliciteur général du Canada déclarait qu'il ne pouvait rien faire sans une demande de Québec.

Nous avions obtenu la collaboration de la Sûreté du Québec pour nous rendre à Montréal et à Québec ; quand je demandai son concours pour que nous puissions gagner rapidement la capitale fédérale, l'hélicoptère nous fut refusé.

Robert La Haye maintint sa décision de s'entretenir avec le chef de cabinet du Solliciteur général du Canada, mais le résultat fut tel que nous l'avions prévu après une discussion au téléphone. Le 14 mars, nous recevions une première réponse négative.

Toutes demandes de la nature susmentionnée, écrivait le haut fonctionnaire, doivent être acheminées de façon formelle au bureau du Solliciteur général du Canada par le ministère de la Justice de la province de Québec.

Mon compagnon fit part de cette réponse à un sous-ministre québécois qui, se gardant bien de faire état du contentieux Québec-Ottawa, opposa une fin de non-recevoir dans des termes vagues.

À la suite des nombreux entretiens que nous avons eus depuis une semaine concernant certaines demandes et des démarches qui ont été faites, le ministre de la Justice vous prie d'informer les personnes concernées qu'il est impossible de donner suite à leur demande de sauf-conduits pour l'Algérie.

La boucle fut bouclée le 16 mars, quand un représentant de l'Ambassade de l'Algérie écrivit «qu'en cette matière, seule une demande du gouvernement fédéral pourrait être considérée dans les circonstances».

Malgré le refus des autorités, elles n'en demeuraient pas moins inquiètes du sort des otages. Elles firent part de leurs craintes, mais je ne pus leur laisser le moindre espoir à la suite d'une conversation que nous avions eue la veille avec Edgar Roussel.

Chapitre 21

Les mutins s'étaient renseignés auprès des détenus des raisons de leur présence à la prison commune de Saint-Jérôme. Certains étaient accusés de meurtres, d'autres de vols avec violence ; un seul était sous le coup d'une accusation mineure. Ce détenu, âgé d'une cinquantaine d'années, devait comparaître prochainement sous une accusation de fraude, ce qui lui valut d'être exclu de toutes les conversations.

L'homme, toutefois, avait menti ; les mutins l'apprirent en fouillant les dossiers des détenus, conservés dans les bureaux de l'administration.

« Attentat à la pudeur sur la personne d'un garçonnet », lurent-ils dans son dossier. « Seconde offense ».

Une rage froide s'empara des mutins qui, à l'exemple de tous les détenus, de toutes les prisons du monde, ne pardonnent guère ce genre de crime. Ils s'emparèrent du quinquagénaire qu'ils attachèrent, nu, dans la salle des gardiens, avant de le torturer. Ils lui rasèrent tous les poils du corps, puis le rouèrent de coups de pieds et de poings jusqu'à ce qu'il perde connaissance.

Le soir même, Edgar Roussel nous fit part des intentions des trois mutins à son sujet.

– Je ne sais pas ce qui me retient de le tuer. Si les *bœufs* tardent trop à nous faire connaître leur réponse, je pense qu'on va leur donner son cadavre pour accélérer les choses.

Robert La Haye l'avait mis en garde contre toute initiative de ce genre.

– En entendant un coup de feu, les policiers pourraient croire la vie des gardiens en danger.

– Tu as raison et puis, ce serait une mort trop douce. Nous allons l'affamer. Je vais l'enfermer dans une cellule et le laisser crever de faim, ce cochon. Regardez ce que nous lui avons fait. En disant cela, il tendait une photographie polaroïd montrant leur victime, la figure en sang. Avec cette tête-là maintenant, il ne fera plus rien aux petits garçons.

Ce détenu n'était pas seule victime de la tension qui avait fait place à l'euphorie des premiers jours. À mesure que le temps filait et que le désespoir effleurait l'esprit des mutins, les gardiens voyaient fondre leur espoir de survivre au drame qu'ils vivaient depuis plus d'une semaine. Ils s'étaient pliés jusqu'alors à toutes les exigences des trois hommes, allant même jusqu'à les appeler par leur prénom et à les tutoyer, mais à la moindre alerte, le fossé se creusait à nouveau entre les victimes et leurs bourreaux. Un soir même, alors que Lucien Jacques avait cru entendre des bruits suspects laissant croire en un assaut du Groupe d'intervention tactique, Edgar Roussel et Roland Simard avaient conduit tous les gardiens dans la pièce où avaient été dressés les gibets. Sans égard pour leurs supplications, les mutins avaient obligé les six «condamnés», chaînes aux pieds, menottes aux mains, à prendre place, debout sur une chaise, tandis qu'ils leur enfilaient une corde autour du cou.

Cela fait, Edgar Roussel avait appelé mon compagnon pour lui dire qu'il n'hésiterait pas à pendre les gardiens si les policiers pénétraient dans la place.

Il avait fallu plusieurs heures à Robert La Haye pour ramener le calme dans les esprits, d'autant plus que mon compagnon avait dû admettre qu'aucun règlement n'était en vue.

– Ils prennent bien du temps à se décider.

– Je t'ai déjà dit, Edgar, qu'une affaire de ce genre ne peut pas se régler rapidement. La Sûreté du Québec ne peut pas prendre elle-même la décision. Il lui faut l'accord du ministère de la Justice qui, lui, dépend, pour cette question de sauf-conduits, d'Ottawa. Jusqu'à maintenant, ils refusent de donner leur accord, mais nous poursuivons nos démarches. Surtout, pas de folie de votre côté.

Tout au cours des négociations, Robert La Haye avait choisi de ne rien cacher aux mutins de nos difficultés. Je partageais son avis ; s'il avait agi autrement, s'il avait laissé miroiter la perspective d'un règlement prochain selon leurs désirs, quand surviendrait la réponse finale, le pire aurait été à craindre. À quelles extrémités se seraient-ils laissé aller après avoir entretenu un faux espoir ?

Les journalistes dépêchés à Saint-Jérôme pour relater les événements n'aidaient toutefois pas notre cause. Certains d'entre eux, et cela ne pouvait pas manquer de me rappeler la triste affaire Marion, se comportaient comme si la vie des otages importait peu ; l'un d'entre eux se permit même d'écrire, était-ce de l'inconscience de sa part ou plus simplement de l'ignorance ? qu'Edgar Roussel avait été conduit à la prison commune de Saint-Jérôme pour témoigner contre Roland Simard à son procès pour le meurtre du détenu de l'institut Archambault.

Furieux après avoir lu l'article, Edgar Roussel nous rejoignit par téléphone pour nous faire part de sa colère.

– Qu'est-ce que c'est que cette histoire ? Ils écrivent dans leur torchon que je suis un mouchard. J'avais pris le second téléphone pour écouter la conversation à la demande de Robert La Haye. Vous qui me connaissez, vous savez que c'est archifaux, que jamais la police ne pourrait me faire parler contre un ami, pas même contre un rival. Moi ! un mouchard… à quoi ils jouent ? Ils cherchent à créer de la zizanie entre nous.

J'avais évité le pire en proposant qu'il s'explique à la radio au cours d'une courte entrevue téléphonique ; fort heureusement, cette proposition lui avait plu.

– J'allais te le demander, m'avait-il dit.

L'effet des propos des journalistes n'était rien toutefois en comparaison de l'influence que semblaient exercer certains amis avec lesquels s'entretenait le trio. « Ne lâchez surtout pas », leur conseillaient-ils, bien au courant que la Sûreté du Québec est à l'écoute. « Tenez bon… surtout, ne donnez plus d'otages. »

Après chacun de ces appels, Robert La Haye recevait invariablement une nouvelle demande.

Une des suggestions faites aux mutins touchait la drogue. Mon compagnon s'était évidemment refusé de discuter de la question avec les autorités, de peur d'envenimer nos rapports avec elles, des rapports déjà passablement tendus par suite des démarches que nous avions entreprises à Ottawa et à Québec. La question fut discutée en notre absence; à notre retour, la Sûreté du Québec nous remit des «médicaments» qu'il nous fallait remettre aux mutins.

– Bonjour, docteur, avait dit Robert La Haye en apercevant Edgar Roussel au carreau. Vos patients se portent bien? avait-il demandé en souriant, avant de lui remettre le précieux colis.

Nous ignorions alors tout de son contenu, sinon qu'un lot de pilules était destiné à un gardien; quant au reste, je déduisis qu'il devait s'agir de valium comme les mutins en avaient fait la demande dans leur premier communiqué puisque jamais plus ils ne reparlèrent de cette exigence.

Cette ultime concession ne suffit pourtant pas à apaiser les mutins qui, las d'attendre la réponse des autorités, passèrent à l'action. Ils remirent aux policiers venus leur livrer des repas chauds une enveloppe destinée à l'épouse du commis de bureau; la Sûreté du Québec découvrit à l'intérieur le testament du jeune homme qui apprenait à sa femme qu'il était sur le point d'être pendu si les mutins n'obtenaient pas satisfaction au cours des prochaines heures.

Chapitre 22

Le sous-ministre René Dusseault avait accepté de nous recevoir, le lendemain, à la première heure. Il n'était pas seul quand, suivi de Robert La Haye, je franchis la porte de son bureau. Le chef de cabinet du ministre de la Justice occupait un fauteuil situé légèrement en retrait, sans doute pour indiquer son intention de rester à l'écart de la conversation.

Malgré la lettre de refus du ministère d'étudier la demande des mutins que nous avions en mains, Robert La Haye entreprit une ultime bataille pour infléchir la politique du gouvernement, mais c'était peine perdue. Je le vis bien au regard que les deux hauts fonctionnaires échangèrent, tandis que mon compagnon cherchait à les convaincre du sérieux de l'affaire.

– Comment prendront-ils ce refus ? voulut savoir le sous-ministre, bien que sa question n'était que de pure forme.

– Ils tiennent plus que tout aux sauf-conduits.

– Je vous le répète, il n'en est pas question.

– C'est très grave, ne pus-je me retenir de dire ; il y va de la vie de six personnes, peut-être davantage, s'ils s'en prennent aux détenus de la prison.

– C'est la politique du gouvernement.

Ce fut comme s'il m'avait dit : M. Poirier, ce problème d'otages qu'il faut sauver à tout prix ne nous concerne pas ; l'affaire vous regarde seul avec Mᵉ Robert La Haye. Le sort des gardiens est désormais entre vos mains puisque nous ne voulons prendre aucune responsabilité. Étais-je donc le seul avec mon compagnon à m'inquiéter de ce qu'il allait advenir des otages? Comment pouvait-il nous donner cette réponse sans songer qu'elle sonnait le glas de vies humaines?

Au fond, je savais bien qu'ils n'avaient jamais envisagé vraiment la possibilité de céder aux exigences des trois mutins. Et bien qu'ils ne m'eussent pas fait part de leurs raisons, il m'était facile de les deviner. Mais j'aurais aimé que, tout en nous faisant part de la position qu'ils devaient adopter, ils cessent pour un instant de tenir un rôle pour redevenir des êtres humains, sensibles à notre détresse, anxieux au même titre que nous de ce qu'il pourrait advenir au cours des prochaines heures. Pas plus qu'eux nous ne connaissions personnellement les six hommes condamnés à une mort certaine, mais avions-nous besoin de savoir tout d'eux, le prénom de chacun de leurs enfants, l'amour qu'ils portaient à leur femme, leurs ennuis quotidiens, pour nous sentir responsables de leur vie?

J'étais bien prêt alors à tout laisser tomber, à dire à ces deux honorables personnages aux visages impassibles qu'ils se rendent sur-le-champ faire part de cette réponse aux trois mutins, mais au fond, je savais que seuls Robert La Haye et moi pouvions réaliser l'impossible, obtenir d'Edgar Roussel qu'il sursoie à l'exécution des otages.

C'était peut-être sans espoir, mais il fallait tout tenter, ne serait-ce qu'à cause du regard qu'avait jeté sur nous le gardien, le jour de notre première rencontre avec les mutins. Ce regard, j'étais incapable de l'oublier; j'étais heureux que les deux hommes assis devant nous n'aient pu en être témoins, sinon peut-être auraient-ils été incapables de prendre une «sage» décision.

– Qu'allez-vous faire maintenant? dit l'un d'entre eux.

– Leur transmettre votre réponse, répondit Robert La Haye.

– Maintenant?

– Ce soir même!

– N'est-ce pas trop tôt, surtout si nous n'entrevoyons aucune autre solution?

– Vous n'avez déjà que trop tardé. Nous devons leur mettre les cartes sur la table et attendre...

De retour au vieux palais de justice de Saint-Jérôme, Robert La Haye prépara un document relatant succinctement chacune des démarches que nous avions entreprises au cours des derniers jours. Alors que nous allions quitter notre bureau du troisième, un officier de la Sûreté du Québec vint nous proposer de tenir une dernière séance de négociations avec les mutins avant de leur faire part de la décision du ministère de la Justice.

– Oui ! répondit mon compagnon, cela pourrait peut-être nous faire gagner du temps.

– Exigez que Roland Simard soit en ligne également ; s'il n'est pas à l'écoute, il pourrait éventuellement contester une décision arrachée à Edgar Roussel.

Cette thèse se défendait. Pour je ne sais quelle raison, je fis signe à Robert La Haye de ne prendre aucun engagement formel.

– Bon ! dit-il nous allons étudier cette possibilité et nous vous ferons part de notre décision avant l'heure du repas.

J'avais le sentiment que quelque chose se tramait. D'un instant à l'autre, les commandos du Groupe d'intervention tactique pouvaient monter à l'assaut de la prison. Comment ? Je l'ignorais encore, mais je savais que nous pouvions représenter un élément essentiel de leur plan de bataille.

Ils pouvaient profiter sans doute de notre conversation avec Edgar Roussel et Roland Simard pour monter à l'assaut d'une des deux portes, laissées sans surveillance en raison de l'importance de notre discussion. Tout par la suite demeurait possible : interruption du courant électrique qui plongerait la prison dans l'obscurité, tir de cartouches de gaz lacrymogène. La porte elle-même ne pouvait pas être un obstacle, puisque la Sûreté du Québec disposait de fusils capables de lancer une cartouche de gaz à travers une cloison.

– Moi, je ne resterai pas une minute de plus ici ! dis-je à Robert La Haye, une fois de retour dans notre bureau ; ils ne me feront pas le coup une troisième fois.

– Calme-toi Claude.

– Tu parles. Comment veux-tu que je reste calme ? Ils n'ont vraiment aucune parole. Ils ne se sont même pas demandé ce qui serait arrivé de nous si nous étions tombés à pieds joints dans leur piège. Tu vois ça d'ici; toi qui traites à l'année longue avec des criminels pour gagner ta vie; eh! bien, mon vieux, ta carrière aurait été à l'eau. Plus personne ne t'aurait fait confiance, sans compter que si l'un des trois avait survécu, il serait venu un jour te demander des comptes. Écoute, je pense que le mieux, c'est d'agir tout de suite, nous allons donner une conférence de presse dans l'heure qui suit et dire que nous voulons une garantie formelle que la police se tiendra tranquille avant de poursuivre les négociations.

– Et si les gars décident de passer à l'action pour montrer qu'ils ne reculeront devant rien pour obtenir ce qu'ils veulent?

– C'est vrai… je n'y avais pas pensé. Mais vas-tu les laisser faire? Si les policiers entrent, jamais Edgar ne voudra admettre que nous avions été tenus dans l'ignorance de ce projet. Regarde, dans l'affaire Marion; les ravisseurs m'ont-ils cru quand j'ai dit tout ignorer du changement de valises? Non! mon vieux.

Mes arguments avaient ébranlé mon compagnon; je poursuivis, déjà prêt à le laisser choir s'il ne se ralliait pas à mes idées.

– Je comprends tes hésitations; ne crois pas que je dormirai en paix, ce soir, si je quitte ce maudit bureau sans avoir obtenu la libération des gardiens.

– Je pensais à autre chose; que va-t-il arriver quand nous apprendrons à Edgar que le ministère refuse de donner les sauf-conduits?

– C'est le risque que nous devons courir; nous n'y pouvons rien. Nous devons faire tout pour sauver les otages, mais pas en trahissant les mutins. De ça, j'en suis convaincu. La police, qu'elle joue sa partie, mais sans nous.

– Nous ne pouvons pas nous en laver les mains!

– Qui te parle de jouer les Ponce Pilate? Je te dis que nous ne pouvons plus rien faire ni pour les autorités ni pour les mutins, mais rien ne nous empêche de faire une ultime tentative pour sauver les otages. Et ça, quoi qu'en pense la Sûreté du Québec, ce n'est pas en rendant possible une attaque de la prison que nous y parviendrons.

– Là-dessus, je suis bien d'accord avec toi. Mais je ne peux pas me faire à l'idée que les policiers se seraient servis de nous pour frapper un grand coup.

– C'est difficile à admettre, mais c'est ainsi; moi, vois-tu, après trois expériences de ce genre, je commence à avoir l'habitude, mais s'ils croient que c'est gagné, cette fois, ils se trompent.

– Non! Je suis sûr que tu t'en fais pour rien.

– C'est possible, mais je ne veux pas prendre de chance; d'ailleurs, qui pourrait reprocher à la police d'avoir tout tenté pour sauver les otages? Ils font leur boulot. Je ne leur pardonne pas toutefois de se servir de nous pour arriver à leurs fins. Si un ou deux des leurs étaient à notre place, Duchesne ou Fauchon, par exemple, crois-tu qu'ils agiraient ainsi? S'ils veulent s'en servir comme négociateurs, ils devront respecter les règles du jeu, sinon, lors d'une autre prise d'otages, les deux bonshommes seront tués dès qu'ils s'approcheront des mutins.

– Ta décision est prise.

– Oui! je vais partir…

– Auparavant, il faut parler à Edgar.

– Je veux bien, mais pas question d'utiliser le téléphone.

Tout au cours du trajet qui nous conduisait à la porte de la prison, Robert La Haye resta silencieux. Je le sentais nerveux, mais j'étais moi-même trop tendu pour chercher, par une parole ou un sourire, à le rassurer. Tout autant que lui, j'aurais aimé que quelqu'un me dise de ne plus m'en faire, que rien de tragique ne pouvait survenir à la suite de cette ultime démarche auprès des mutins, enfermés depuis dix jours dans les locaux sordides de la prison. Dès le début de cette affaire, j'avais su qu'après la tragique aventure de Sherbrooke jamais plus je ne serais capable de tenir le premier rôle. Robert La Haye avait pratiquement tout fait, prenant les décisions importantes, décidant de la marche à suivre; je n'avais fait que lui apporter mon concours, en me ralliant à ses décisions, et maintenant qu'il semblait avoir perdu la maîtrise des événements, je me sentais vidé de mes dernières ressources.

Ce sentiment ne devait jamais plus me quitter. Robert La Haye remit à Edgar Roussel le document qu'il avait préparé sans même chercher à atténuer le choc que celui-ci allait subir en en parcourant le texte.

– Prenez le temps de bien lire ce dossier, puis faites-nous part de votre décision.

Vingt minutes après, le téléphone sonnait dans le bureau où nous avions trouvé refuge, toujours sans parler. Mon compagnon prit l'appareil.

– S'ils le prennent ainsi, nous ne sortirons pas tant qu'ils n'auront pas changé d'idée. Vous pouvez leur suggérer d'appeler tout de suite l'entrepreneur des pompes funèbres qui habite en face de la prison, qu'ils commandent des cercueils pour toute la bande, nous y compris. Il n'est plus question de libérer d'autres otages ; nous ne céderons plus sur rien…

– Prenez la nuit pour réfléchir, lui dit Robert La Haye en interrompant le flot de ses injures. Demain matin, nous vous rappellerons à la première heure.

Cette nuit-là, je ne pus trouver le sommeil ; dès que je fermais les yeux, je ne pouvais m'empêcher d'évoquer le sort des gardiens. Eux aussi ne devaient pas être capables de dormir, dans leur peur de ne jamais plus se réveiller. Ils devaient surveiller les mutins, chercher à découvrir sur leurs traits le moindre signe annonçant une décision les concernant. Malgré ces images sinistres qui défilaient dans mon esprit, je finis par m'assoupir, mais un bruit me tira d'un sommeil agité. Robert La Haye était au pied de mon lit, hésitant à me réveiller.

– Tu ne dors pas ? lui dis-je.

– Non. Je n'avais pas sommeil. Je voulais te dire que j'ai pris ma décision. Je pars avec toi.

Cette décision, nous devions l'apprendre aux trois mutins dès 7 heures le lendemain matin. Après avoir fait parvenir à la presse un communiqué où nous expliquions sommairement que les motifs de notre désistement tenaient à l'intransigeance des deux parties, j'acceptai de rendre une dernière visite aux mutins.

« Je sais que personne d'autre n'aurait fait mieux que vous, nous dit Edgar Roussel. Je ne regrette qu'une chose dans cette affaire, c'est d'avoir laissé échapper les deux policiers qui déjeunaient à la cafétéria. Si nous les avions attrapés, vous pouvez être certains que les *bœufs* auraient tout accepté pour leur sauver la vie. »

Je ne cherchai pas à le contredire ; je murmurai simplement :

– Ne fais pas l'idiot, Edgar... Pense au *Chat*... Ils sont les plus forts...

Quand j'appris trois jours plus tard que Robert La Haye s'était rendu à la prison de Saint-Jérôme pour assister à la reddition des mutins, je fus heureux de constater que personne n'avait songé à faire appel à mes services.

Machinalement, toutefois, je portai la main à mon téléavertisseur. Je vérifiai son fonctionnement, tout était normal.

Je soupirai d'aise...

Épilogue

Je t'écris ces quelques mots, Claude, pour te demander si tu peux faire quelque chose pour nous […]

Lors de la prise d'otages, à la prison de Saint-Jérôme, nous avions demandé de meilleures conditions de détention. Ils nous ont dit oui, mais rien n'a été fait depuis notre retour. Nous sommes enfermés dans une cage où il n'y a aucune fenêtre. Il fait entre 20° et 25° Celsius. C'est humide ; nous ne mangeons pas bien. Les gardiens font tout pour nous pousser à la révolte.

La situation est telle que je suis en train de perdre la raison. Si nos conditions de vie ne changent pas d'ici peu, je vais donner ma vie pour les y forcer et ils vont le regretter. Je te le jure. Je ne peux plus vivre ainsi […]

Roland Simard
Matricule 1456

Cet ouvrage a été composé en Times corps 12/14
et achevé d'imprimer au Canada en janvier 2005
sur les presses de Quebecor World Lebonfon, Val-d'Or.